P9-BHZ-923

Pablo Huneeus es uno de los escritores más leídos de Chile. Sus cerca de treinta libros destacan por su animoso estilo, su buen humor y sus nítidos cuadros de la vida real.

Estudió sociología en la Universidad de Chile y obtuvo su doctorado de la Universidad de París (Sorbonne). Ha sido consultor de Naciones Unidas en Suiza, de la Comisión Económica para América Latina (CEPAL), y profesor de la Facultad de Ciencias Físicas y Matemáticas de la Universidad de Chile. Fue el director fundador del Servicio Nacional del Empleo (SENCE) y luego, como profesor titular de la Universidad Católica, dirigió el Instituto de Sociología.

A menudo escribe en diarios y revistas de Chile, y artículos suyos suelen aparecer en *The Economist* de Londres, *The Wall Street Journal* de Estados Unidos y *Literaturnaya Gazeta* de Rusia.

Figura seguido en la tele, y una vez tuvo su propio programa de conversación.

Por su contribución a la literatura social, la *Grand Valley State University* de Michigan, Estados Unidos, le confirió en octubre de 1992 la Orden al Mérito

Pablo Huneeus

PERRO CON CORBATA
NADIE LO MATA

DICHOS DE CAMPO

LOS MEJORES PROVERBIOS Y REFRANES
DEL HABLA CASTELLANA

Editora Nueva Generación
República de Chile

Registro de Propiedad Intelectual N° 99.030
I.S.B.N. : 956-226-033-X

Portada: *El Arriero*, óleo sobre tela del pintor
chileno Arturo Gordon Vargas (1883-1945).
Colección de Julio Magri Rabaglio.

Primera edición: agosto de 1997;
Séptima edición aumentada: noviembre de 2004.

Inmobiliaria Calbuco Ltda.
Vía Gris 9425, Vitacura, Santiago.
Fono (56- 2) 218 39 74, fax (56-2) 218 22 81.
Página web: www.pablo.cl

Impreso en los talleres de
Productora Gráfica Andros
Santa Elena 1955
Santiago de Chile.

Hecho en Chile

Paréceme, Sancho, que no hay refrán
que no sea verdadero, porque todos
son sentencias sacadas de la mesma
experiencia, madre de las ciencias…

Don Quijote de la Mancha
(Capítulo XXI)

Índice

A buen Entendedor...

Todo empezó el invierno de 1989, cuando politiqueábamos para recuperar la democracia. A la salida de una perorata, bajo los naranjos de Villa Alegre, un hombre de manta negra y sombrero huaso, llamado Manuel Rodríguez Arellano, dijo acerca del apoyo prometido por un ricacho: *nunca digas estoy, cuando en el estribo estés, que muchos en el estribo, suelen quedar a pie.*

Con la prontitud del cazador ante el pichón, Verónica desenfundó su libreta y apuntó. Fue el primer refrán en caer, bañado en tinta, a este libro. Era un relincho de chilenidad ahora apresado en el morral. ¡Qué joya! Perdidos en los campos, olvidados por la modernidad, y voceados por los arrieros ¿no habrá más?

Los había, y fresquitos, porque hasta ayer no más, éramos una sociedad eminentemente rural. Pero de un porrazo capotó la agricultura tradicional, miles de Carmelas[1] se fueron *a vivir a la ciudá*, la reforma agraria exterminó la hacienda, y los bajos precios pagados al productor mismo, obra de las

---

[1] Personaje de la comedia musical de Isidora Aguirre y F. Flores *La Pérgola de las Flores*. En la célebre aria Camela canta: *Yo vengo de San Rosendo a vivir a la ciudá...*

importaciones y los especuladores, reventaron al agricultor independiente. El patrón de fundo pasó a la historia, el inquilino quedó de temporero, y la vida de campo en familia pereció a manos de las empresas forestales y la agro industria.

De la noche a la mañana saltamos de la ojota al *Toyota* y del rancho de adobes al departamento en altura. Entre boquitas pintadas y cejas teñidas, la nación olvidó su sangre campesina. ¡Basta de pelar el ajo! ¡Que viva el *mall* !

Así todo, los tiempos cuando nos despertaba el canto del gallo, a guadaña limpia segábamos las mieses, y en la tarde se conversaba, dejaron en el habla frases fantásticas, muy filosóficas algunas.

Por eso, los mejores proverbios, los de mayor gracia y donaire habían de venir de tierra adentro, donde los fuimos robando del olvido, justo antes que el televisor reemplazara al comadreo.

Al tiempo, Manuel murió, *ya tengo un pie en el estribo*, había comentado. Igual, seguimos al cateo de la laucha, buscando trofeos idiomáticos por los potreros.

Así como el cazador elige los mejores faisanes para la cena, aquí ofrecemos una fina selección de lo recopilado. Son, a nuestro juicio, los dichos más sabrosos y musicales, los de mejor gusto, aquellos que refrescan el espíritu sin dejar la boca picante.

Ahora bien, al estudiar las versiones originales de obras claves de nuestro idioma, como *La*

Araucana, de Ercilla, o el propio *Don Quijote*, de Cervantes, se aprecia que muchas expresiones consideradas *huasas*, son castellano antiguo en su más pura acepción. *En efeto*, voces como *mesmo, agüelo, fuyeron, onde, vuesa mercé, inorme, en saliendo, presto* (por apurado), y *bogar* en lugar de remar, que nos suenan tan campechanas, vienen derecho del siglo XVI. El mismo giro *en efeto*, abre el capítulo XLIV de *Don Quijote*.[2]

O sea, el campo chileno, lejos de ser un antro de argot, ha sido depositario del idioma español en su forma más castiza. Sin notarios ni escríbanos, el país profundo de espaldas sudadas, retuvo de oídas los más geniales pensamientos de la cultura.

Pero al querer clasificarlos, ponerles etiqueta de origen y guardarlos en formalina, pronto descubrimos que algunos atrapados a la vuelta de la loma, ya circulaban en tiempos de Pericles, mientras otros, muy locales de aspecto, figuran en refraneros colombianos y cancioneros gitanos.

Entonces ¿cómo saber si viene de Toledo o de Popayán? Y si el bajo latín de la Edad Media, que originó el castellano, es hoy el *spanglish* de Miami,

---

[2] *En efeto, fueron tantas las voces que don Quijote dió, que abriendo presto las puertas de la venta, salió el ventero, despavorido, a ver quién tales gritos daba, y los que estaban fuera hicieron lo mesmo.* Otras palabras hoy estimadas campesinas, como *destos, dellos, agora* (por ahora), y *de repente*, además de *agüelo* y *aguaite*, figuran también en *La Araucana*, de Alonso de Ercilla (1533-1594).

que coloniza Norteamérica ¿por qué apartar el habla actual de los dichos de nuestros antecesores?

El dialecto que un milenio atrás era apenas un mascullar romance en las serranías de Castilla, constituye hoy, junto al inglés y al árabe, uno de los idiomas de mayor vitalidad y expansión territorial. Hasta el otrora tan yanqui *United States of America* ha llegado a ser un país de habla hispana –en magnitud, el quinto del mundo– y al inicio del tercer milenio, la descendencia de don Quijote y doña Dulcinea, alcanzará los quinientos millones de almas.

No habiendo, pues, en esta vasta familia lingüística dónde apartar lo gaucho de lo andaluz, ni lo vivo de lo histórico, optamos por agruparlos en torno al animal que los inspira. Es emocionante la cantidad de reflexiones suscitadas por las creaturas domésticas, como el perro y el caballo, que nos ayudan a existir. Las queríamos harto.

De rebuscar por campos y viñedos, seguimos a los libros, llegando, incluso a desenterrar bellos aforismos sefardíes. Arrancando de la inquisición desatada en 1492 por los Reyes Católicos, muchos judíos de España se establecieron en Los Balcanes, donde siguen hasta el día de hoy hablando en ladino, lengua derivada del castellano medieval.[3]

---

[3] *Poslovice I Izreke, Proverbs and Sayings of the Sephardi Jews of Bosnia and Herzegovina*. Federation of Jewish Communities in Yugoslavia, Beograd, 1976. Aporte de Virginia Vidal.

Fue así, trajinando la palabra popular, como entendimos que los idiomas, en vez de ser compartimientos estancos, son vientos de rachas revueltas. Están hechos de aire, el mismo que respiramos los unos y los otros. De ahí que la universalidad de los dichos demuestre la unidad del hombre: es la misma estructura cerebral, reaccionando ante similares experiencias sobre un único planeta.

La razón de esta fraternidad en la esencia de la comunicación humana, ya la anticipó un hijo de carpintero: somos todos hermanos, sean fariseos o pescadores de Galilea, vengan de aquí o de la quebrada del ají, vivan todavía o estén ya junto al Padre. Total, humanidad hay una sola.

¿Ves tú, Manuel? Tardó su poco, pero al final salió el libro.

Calbuco, 1997.

Dichos Caballunos

Nunca diga estoy, cuando en el estribo esté,
que muchos en el estribo, suelen quedar a pie.

~

¡Agárrate Catalina, que vamos a galopar!

~

Puedes llevar un caballo al agua, pero no puedes
obligarlo a beber.

~

Caballo largo, rienda corta.

~

No le hables a un caballo en el agua, ni a una mujer
en la cama.

~

Dele rienda suelta para que corra.

~

Por el hocico le entra la raza a la bestia.

~

Se metió en las patas de los caballos.

~

A caballo regalado no se le miran los dientes.[4]

---

[4] Al equino se les conoce la edad por su dentadura. Si ha asomado el
molar llamado "colmillo de lobo" tiene más de dos años, y así.

El caballo es del que lo cabalga.

❧

No se cambia de caballo en medio del río.

❧

El caballo y la mujer, al ojo se han de tener.

❧

El potro llora con un ojo y ríe con el otro.

❧

No cabalgues en potro, ni alabes tu mujer a otro.

❧

Valentía sin sabiduría es potro sin mirada.

❧

La tos y el asno no se pueden esconder.

❧

Canta el asno por orden del patrón.

❧

Asno callado por sabio es contado.[5]

❧

Volarán los burros, pero no faltarán idiotas.

❧

Sabe más un burro de astronomía.

❧

No hay burro que no rebuzne, ni mula que no patee;
no hay hombre que no pida
ni mujer que no de.

---

[5] Dicho de los judíos obligados a dejar España con un solo burro de equipaje. Les prohibieron llevarse su dinero, pero partieron con su saber empresarial y artístico, pues eran la clase profesional del país.

Mula que otro amansa queda ruda.

❧

Mula retinta descansada brinca.

❧

Mula baya, que se vaya.

❧

Mula negra me alegra, mula mora me enamora.

❧

Cuando de tu propia montura se trate, en nadie confíes.

❧

El que va lejos, que apriete bien su montura.

❧

Caballo nuevo a caballero viejo.

❧

Está muy de a caballo en el tema.

❧

A mata caballos corre el afligido.

❧

Lo cuidan más que al caballo del cura.

❧

A caballo ajeno, espuelas propias.

❧

Salió duro para la espuela.

❧

Pedir plata prestada, es andar con yeguas robadas.

❧

Ligera de cascos salió la niña.

Los cascos vacíos son los que más suenan.

～

Está caro para un animal.

～

Ya estoy con el pie en el estribo.[6]

～

Caballo grande, ande o no ande.

～

¡Se le echó la yegua!, no quiso seguir.

～

Alazán tostado, antes muerto que cansado.

～

Caballo, montura y mujer, no se prestan.

～

Prefiero el burro que me lleva, al caballo que me bota.

～

Confía más en la propia mula que en el caballo prestado.

～

Más feo que patada de mula cuesta abajo.

～

Como grasa de caballo de malo.

～

Es como mula de porfiada.

～

Chúcara era, pero la tengo comiendo de la mano.

---

[6] Listo para el largo viaje.

Más apretado que poto de mula en tiempo de tábanos.

❧

¡Qué pesa la carne de burro!

❧

La carne de burro no es transparente.

❧

A burro bruto, burrero duro.

❧

La miel no es para el hocico del burro.

❧

Un asno no entiende mucho de música.

❧

Burro hambreado no siente la huasca.

❧

El miedo hace correr al burro como caballo.

❧

Más vale ser caballo que carreta.

❧

Más vale ser hijo único que caballo único.

❧

Al caballo flaco van las moscas.

❧

Huasquean antes al caballo que tira.

❧

Lo que el potrillo aprende cuando nuevo, lo aumenta cuando viejo.

Potrillo chúcaro puede llegar a ser caballo bueno.

❧

Se acaricia al caballo hasta ensillarlo no más.

❧

El corral gasta más al caballo que el galope.

❧

Quien no puede galopar, que trote.

❧

El dolor galopa, el alivio camina.

❧

Elige tu mujer con ojo de viejo, elige tu caballo con ojo de joven.

❧

Mucha espuela pone chúcaro al caballo.

❧

En la barrera baja tropieza el caballo.

❧

Alimenta al caballo como hermano, pero móntalo como enemigo.

❧

De nada sirve cerrar la pesebrera cuando ya se robaron el caballo.

❧

¡Hasta el burro la piensa mejor!

❧

Dios creó el burro, pero no le dio cuernos.

❧

Montado en el burro, hay que aguantar los corcovos.

Es vergonzoso montar un burro, pero más vergonzoso es caer de él.

❧

Es mejor caer que quedar colgando.

❧

¡Tanto corcovear para quedar en el mismo corral !

❧

Cuando un burro rebuzna, los demás paran la oreja.

❧

Un burro no se ríe de otro burro.

❧

Partida de caballo, llegada de burro.

❧

El caballo puede descansar su vientre, pero no puede arrancarle a su cola.

❧

A caballo malo, arnés bueno.

❧

El caballo se sujeta de la cabeza, el perro del cuello.

❧

En carrera larga, gana el burro.

❧

El burro no aprende a nadar hasta que el agua le llega a las orejas.

❧

Aunque le des avena, el asno sueña con cardos.

¡Y se paró el macho a mear!⁷

❧

Se montó en el macho el muy testarudo.

❧

Gaucho sin caballo es como vela sin mecha.

❧

Aprenda a sacarle la vuelta al lazo, patrón.

❧

Cada amo conoce su caballo.

❧

Si al caballo no le puedes tomar la crin, menos
podrás tenerlo de la cola.

❧

El amo durmiendo, el caballo comiendo.

❧

Un mismo caballo no se carga con dos monturas.

❧

El caballo al morir deja una montura, el hombre, un
nombre.

❧

No juzgues a un caballo por su montura.

❧

Por un clavo se perdió una herradura; por una
herradura, el caballo; por un caballo se perdió el
mensaje, por un mensaje se perdió la batalla y por
esa batalla perdimos la guerra.

---

⁷ Macho se le denomina a una mezcla híbrida de caballo con burro.
Bueno para el arado, combina las taras de ambos.

En la guerra no se dan confites.

≈

Fue cuando desuncieron los coches de los caballos.[8]

≈

El caballo va al comedero y no el comedero al caballo.

≈

No te pongas detrás del caballo, delante del toro, ni al lado del malo.

≈

Es cayendo que el jinete aprende a montar.

≈

¡Un caballo! ¡un caballo! ¡mi reino por un caballo![9]

≈

Caballo bueno, repite.

≈

Y no porque se manque una yegua vamos a parar la trilla.

---

[8] Según Domingo Durán, es el factor que desató la crisis agrícola. Desuncir es quitarle a las bestias de trabajo su arnés, o yugo.

[9] Ricardo III, luego de caer en combate de su caballo, exclama, en la obra de Shakespeare: *A horse! a horse! my kingdom for a horse!* (Acto V, Escena IV)

Dichos Perrunos

Donde hay un hueso, hay un perro.

❧

Anda más serio que perro en bote.

❧

Matando la perra, se corta la leva.

❧

Quien no alimenta su perro, sin saber alimenta al ladrón.

❧

Se lo llevan como el perro y el gato.

❧

Quien da pan a perro ajeno, se queda sin pan ni perro.

❧

El buen perro caza por raza.

❧

Perro chalado, mejor dejarlo de lado.

❧

El perro del hortelano no come, ni deja comer.

❧

Más tonto que perro nuevo.

❧

El perro muerde la mano que le da de comer.

¡Otra vez hizo perro muerto el desgraciado![10]

¡Ándate a otro perro con ese hueso!

Hueso que te cayó en parte, llévatelo con arte.

No tiene padre ni madre, ni perro que le ladre.

¿Ve que no tengo patas de galgo?

Cazar sin perros es como caminar sin palo.

Está oscuro como boca de lobo.

No pongas al lobo a cuidar ovejas.

Perro que ladra no muerde.

Prohibirle al mentiroso mentir es como prohibirle al perro ladrar.

Cuídate del hombre silencioso y del perro mudo.

No por tener cuatro patas, sigue el perro cuatro caminos.

Es un buen perro, flaco pero fiel.

---

[10] Irse sin pagar.

Como perro dando vueltas alrededor del mismo árbol.

❧

Da vueltas como perro buscándose la cola.

❧

Hombre solo, comida de lobo.

❧

No porque los perros aúllan, deja de brillar la luna.

❧

Perro viejo no aprende mañas nuevas.

❧

Si con perros duermes, con pulgas amaneces.

❧

¡Paciencia, piojo! que la noche es larga.

❧

Perro con hambre no teme al león.

❧

El hambre trae al lobo al pueblo.

❧

Es patas de perro, así de andariego.

❧

Perro que no anda, no encuentra huesos.

❧

No es galgo ni podenco, ese futre.

❧

Ni en pelea de perros se le ha visto.

❧

Ahora que murió el perro, se acabará la rabia.

Perro con corbata, nadie lo mata.

❧

De pronto, una pulga mata al perro.

❧

Hasta el perro fino tiene sus pulgas.

❧

Es más feliz que perro sin pulgas.

❧

Cuando un perro te salva del río,
no preguntes si tiene tiña.

❧

Es como amarrar el perro con longanizas.

❧

Deja que los perros ladren Sancho,
es señal de que avanzamos.[11]

❧

Si temes al lobo, no entres ni salgas, ni vayas al
bosque.

❧

El perro es un león en su casa.

❧

¿Para que tener perro y ser uno el que ladra?

❧

Anda con la cola entre las piernas.

❧

Perro acariciado, mueve la cola.

---

[11] Frase atribuida a *El Quijote*, pero que según el académico de la lengua Martín Panero, no figura en dicha obra, ni es de Cervantes.

Trabaja aperrado el hombre, solo y enrabiado.

≈

Cuando un perro se ahoga, todos le dan agua.

≈

Perro vivo sirve más que león muerto.

≈

Perro sin cola no muestra cariño.

≈

Prefiero ser perro y aullarle a la luna.[12]

≈

Agarró al mismo perro con otro collar.

≈

¡Tranquilo el perro!

≈

Esa es pelea de perro grande.

≈

No creas en cojera de perro ni en llanto de mujer.

≈

Mientras más conozco a los hombres, más quiero a
mi perro.

≈

Cada zorro para la cola a su manera.

≈

El peor enemigo del zorro es su propia cola.

≈

Un zorro se burla de siete lobos.

---

[12] Julio César, cuando le proponen dar un golpe.

¡Socorro que me agarra el zorro!

❧

Al zorro se le caza con otro zorro.

❧

Si le perdonas al zorro el robo de una gallina, te robará un cordero.

❧

Un buen zorro no cae dos veces en la misma trampa.

❧

Un viejo zorro no tiene nada que aprender.

❧

Zorro viejo pierde el pelo, pero no las mañas.

❧

El zorro puede llegar a viejo, pero no a ser bueno.

❧

Si quieres burlar al zorro, madrúgalo.

❧

Anda como chingue de hediondo.[13]

❧

Esta es una vida de perros.

❧

Perro viejo ladra sentado.

❧

Hasta el último perro tiene su día.

---

[13] Chingue o mofeta, depredador parecido al visón, pero provisto de glándulas para lanzar fetidez insoportable a sus perseguidores.

Dichos Gatunos

Gato con guantes no caza ratones.[14]

～

Es más flojo que gato de chalet.

～

Más ladrón que gato de campo.

～

Tan breve como estornudo de gato.

～

Soy gato que tapa su propia caca.

～

Ésta sí es caca que no tapó el gato.

～

A buen gato, buen ratón.

～

Gato de estufa arranca del agua.

～

De noche, todos los gatos son negros.

～

¿Y quién le pone el cascabel al gato?[15]

---

[14] Original de Narciso Delgado, el *Guatón* Delgado de Calbuco.
[15] Fábula en verso por Lope de Vega (1562-1635): "Juntáronse los ratones para librarse del gato, y, después de un rato..."

No saques las castañas con la mano del gato.

❧

Le anda buscando la quinta pata al gato.

❧

Esto es una bolsa de gatos.

❧

El gato sabe muy bien quien se comió el canario.

❧

¿O será que aquí hay gato encerrado?

❧

Al cabo de un rato, sois marido gato.

❧

La curiosidad mató al gato.

❧

Cada gato se rasca con su propias uñas.

❧

Le pasaron gato por liebre.

❧

Se defiende como gato de espalda.

❧

Había apenas cuatro gatos.

❧

El gato es su mejor consejero.

❧

¡Ya verán gatos comiendo pepinos!

❧

Gato que aleja los ratones, sirve tanto como el que los caza.

Ni el gato caza ratones por el amor de Dios.

❧

Al gato le gusta el pescado, pero no mojarse.

❧

El gato acaricia con la cola y muerde con la boca.

❧

Honrado es el gato cuando la carne está bien
guardada.

❧

El frío abate al león.

❧

Un león no caza ratones.

❧

Más vale ser cabeza de ratón que cola de león.

❧

El puma sigue siendo puma, aunque no te haya
comido ovejas.

❧

No tomes el león por la cola, pero no lo sueltes si lo
tienes.

❧

Un secreto dicho al oído, lo escucha el león.

❧

Quiere llevarse lo mejor, la parte del león.

❧

La pantera y la oveja no cazan juntas.

❧

Si el jaguar sabe que le temes, te mata.

El león no ruge mientras mata.

❧

Quien sube alto es avistado por el león.

❧

Es cuando muere el león, que se atreven los valientes
a cortarle la melena.

❧

El hambre saca al león de la selva.

❧

Todos conocen al león, pero el león conoce a nadie.

❧

Cordero con piel de tigre, igual teme al lobo.

❧

Si cabalgas en un tigre, no bajas fácilmente.

❧

De lejos se conoce el tigre.

❧

Tres tristes tigres tragan trigo en un trigal.

❧

¡Qué le hace una raya más al tigre!

❧

Hijo de tigre sale siempre rayado.

❧

Para cazar tigres hay que ir donde hay tigres.

❧

Se fue el gato y las lauchas bailan.

❧

Le dio el palo al gato.

Aprovechan los ratones cuando el gato sale a cazar.

❦

Si no le das de comer al gato, alimentas ratones.

❦

Para las ratas el gato es un tigre, para el tigre no es
más que un ratón.

❦

El gato y el ratón hacen las paces sobre un fiambre.

❦

Los ratones que viven en casa del avaricioso, comen
en la del generoso.

❦

Gato tímido hace lauchas valientes.

❦

Ratas grandes no las coge, y chicas se le van.

❦

Más corto que viraje de laucha.

❦

El pájaro madrugador, va temprano al gato.

❦

No le pidas al gato apaciguar dos pájaros que
pelean.

Dichos Vacunos

A su tiempo la vaca ocupa su cola.

❧

Cada vaca cría a su ternero.

❧

Primero el establo, después la vaca.

❧

La vaca que muge más fuerte no da más leche.

❧

Lleva la vaca al palacio y se arrancará al establo.

❧

Al que Dios quiere, la perra le pare vacas.

❧

Son tiempos de vacas flacas.[16]

❧

Más pesado que trote de vaca.

❧

Al pie de la vaca, fresquita está la leche.

❧

Mientras unos ordeñan las vacas, otros beben la
leche.

---

[16] La leyenda de las siete vacas gordas seguidas de siete flacas viene
del Antiguo Testamento de *La Biblia* (Gn. 41.27).

La vaca negra, la noche oscura y yo no veo.

❧

La cabra es la vaca del pobre.

❧

Cuando la cabra estornuda, el tiempo se muda.

❧

La cabra tira siempre al monte.

❧

Con buenas palabras se saca el animal del monte.

❧

Al hombre por la palabra, al buey por los cachos.

❧

El orgullo le viene al pobre como la montura a la
vaca.

❧

La carreta no se pone delante de los bueyes.

❧

De un ternero se espera un buey,
de una gallina un huevo.

❧

Vaca buena no va a la feria.

❧

Ganar un juicio es ganar una gallina y perder la
vaca.[17]

❧

Hay que tomar el toro por las astas.

---

[17] También: Mejor un mal arreglo que un buen juicio.

De la nariz se jala el toro.

&

El toro nunca se acuerda que fue ternero.

&

Todavía no nace el novillo y ya están afilando el cuchillo.

&

¡No apure los bueyes flacos, compadre!

Hay que arar con los bueyes que se tiene.

El buey manso, da la cornada más dura.

&

No castigues al buey por no dar leche.

&

A buey viejo, pasto tierno.

&

Cuando la bestia se llena, se echa.[18]

&

Ayer vaquero, hoy caballero.

&

¿Caballero él? Le falta pelo para ser caballo entero.

&

El buey trabaja con el asta, el burro con las costillas, la mujer con las caderas y el hombre con las rodillas.

---

[18] Domingo Carreño, maestro de los asados, cuando los bueyes de la carreta de las viandas, se recostaron a la sombra de un peumo.

¡Aramos! dijo la mosca en el cacho del buey.

~

¿A dónde irá el buey que no are?

~

Al buey lerdo, el agua turbia.

~

Del toro al buey, no hay más que un paso.

~

¡Vamos tumbando y capando, salando y soltando![19]

~

Al buey no le pesan los cuernos.

~

Entre bueyes no se dan cornadas.

~

Buey solo, bien se lame.

---

[19] Grito del capataz para darle ritmo a una faena de corral.

Los Mansos Corderos

¡Aquí está la madre del cordero!

≈

No es por malo que matan al cordero.

≈

Lo pesado para el cordero, es jauja para el caballo.

≈

Por mucho que cuentes los corderos, el lobo se lleva los que quiere.

≈

Tonto es el cordero que se confiesa con el lobo.

≈

Se vende mejor una piel de cordero, que una de lobo.

≈

Dios hizo el carnero, pero no los cuernos.

≈

Lo culparon de un cuanto hay; es el chivo expiatorio.[20]

≈

Los negocios del chivo, no son los del carnero.

---

[20] Para limpiar la conciencia, en Galilea cargaban un cordero con todos los pecados del mundo y luego lo echaban al desierto, lejos.

Cuando un chivato quiere forraje, estira el cuello.

❧

En toda familia hay una oveja negra.

❧

Piel de cordero, corazón de lobo.

❧

Sobre la piel de un cordero se escribe cualquier
cosa.[21]

❧

Es la suerte del cordero: si no es por la lana, es por el
cuero.

❧

Van por lana, y salen trasquilados.

❧

Debes ser como la lana: mientras más la golpean,
más suave se torna.

❧

Para tomarlos con lana, tan sucios andan.[22]

❧

¡Cuídate de la ira del cordero!

❧

Donde no hay ovejas, la cabra es reina.

❧

Un chancho crece donde la oveja perece.

❧

La oveja tonta a menudo guía el rebaño.

---

[21] El libro antes era de cuero. Hoy, es el papel que aguanta todo.
[22] Comentario de apoderada sobre profesores de una escuela rural.

Chumango: mitad hombre, mitad oveja, encorvado por el viento, aturdido por la calefa.[23]

❧

De mañana en mañana, pierde la oveja la lana.

❧

Cada oveja con su pareja.

❧

¡Buenas noches los pastores !

---

[23] La calefacción a gas de las estancias de la Patagonia adormece.

Puro Chanchullo

Estoy más contento que chancho en el barro.

꙳

¡Qué sabe el chancho de aviones si nunca mira hacia arriba![24]

꙳

La culpa no es del chancho, sino de quien le da afrecho.

꙳

Es como un chancho en misa.

꙳

Son cochinos de una misma camada.

꙳

Querían chicha y chancho, los frescos.

꙳

A la vista del amo engorda el chancho.[25]

꙳

Chancho limpio no engorda.

꙳

Es chancho que no da manteca.

---

[24] Original de Germán Oyarzo, oriundo de Caicaén, Calbuco.
[25] Tambén, es a la vista del chancho que engorda el amo.

¿No será mucho barro para tan poco chancho?

❧

Es por su grasa que matan al puerco.

❧

En su propia grasa cuecen al chancho.

❧

El chancho sabe contra qué árbol rascarse.

❧

Sería darles rosas a los chanchos.

❧

¡Orejón! le dijo el burro al cerdo.

❧

No le des cerezas al chancho ni consejos al tonto.

❧

No cuentes perlas ante los chanchos.

❧

Me pillaron chanchito.

❧

Según el marrano es la horqueta.[26]

❧

El chancho se acuerda de la comida, pero no de los golpes.

❧

Quien maltrata un animal no muestra buen natural.

---

[26] Marco de palo adosado al cuello, para que no crucen cercas.

Las Aves del Campo

Cría cuervos y te sacarán los ojos.

~

Grano a grano hincha la gallina el buche.

~

¡No me venga con tencas zurdas y zorzales overos!

~

Se echó el pollo, y no lo vimos más.

~

Este es gallo de pelea.

~

Los gallos de pelea se enredan en sus espuelas.

~

En la cancha se ven los gallos.

~

Ni ante el león agacha el gallo su moño.

~

Es capaz de robarle los huevos al águila.

~

El águila cae con flechas de sus propias plumas.

~

El águila no cría palomas.

Anda a palos con el águila.[27]

❧

El que no corre, vuela.

❧

Los pájaros más vistosos están en jaula.

❧

De nada sirve la jaula sin pájaros adentro.

❧

Por amor cantan las aves.

❧

El ruiseñor no come canciones.

❧

El que nace chicharra, muere cantando.

❧

Por su canto se conoce el ave.

❧

No basta poner un peuco en una jaula para que cante
como canario.

❧

El gallo elocuente canta desde el huevo.

❧

Otro gallo cantaría si el sol saliera de noche.

❧

Fue entre gallos y medianoche.

❧

El sol sale aunque no haya gallo que le cante.

---

[27] Las águilas son los primeras en atacar el animal caído. Luego, en la
alta cordillera hasta los mismísimos cóndores acuden al festín.

Terminó su casa antes que cante un gallo.

❧

Sintió el gallo cantar y no sabe en qué lugar.

❧

Dos gallos en un mismo gallinero no cantan.

❧

El gallo en su gallinero qué bien se sacude y canta,
pero el que duerme en casa lejana, abatido se
levanta.

❧

Es más importante el huevo que el cacareo.

❧

La gallina no cacarea delante del gallo.

❧

Es gallina que cacarea fuerte cuando pone.

❧

La primera gallina que cacarea no es la que puso el
huevo.

❧

Una cosa es cacarear y otra es poner el huevo.

❧

Con tal frío los pájaros no cantan, estornudan.

❧

Las gallinas ponen huevos fritos de tanto calor.

❧

Para entonces, habrá pajaritos nuevos.

❧

No sé si es picaflor o picado de la araña.

Se acuesta con las gallinas, en cuanto oscurece.

~

Cuando gorda es la gallina, tiene menester de la vecina.

~

Gallina vieja, da la mejor cazuela.

~

¿Qué viene antes, el huevo o la gallina?

~

La gallina no puede volar más allá de su gallinero.

~

Si de ésta me escapo y no muero, nunca más al gallinero.

~

La gallina la comes una vez, el huevo cien veces.

~

Antes el gallo ponía huevos, ahora hasta a la gallina le cuesta.

~

Es más cagado que palo de gallinero.

~

Soy ave de paso, dijo el gitano.

~

No pongas todos los huevos en un mismo canasto.

~

Ni cuentes huevos antes que pongan las gallinas.

~

Es comprar huevos para vender huevos.

Estaban todos, de chincol a jote.

~

Si ronda el jote, animal caído hay cerca.

~

Maldición de gallinazo, nunca llega al espinazo.

~

Lo pillaron volando bajo.

~

Los pavos andan en tropel, las águilas solas.

~

¡Hasta aquí vamos bien! dijo el pavo en la puerta del horno.

~

Es para emborrachar la perdiz que habla tanto.

~

A cada gallina la espera una olla.

~

¿Cómo desplumar el ave sin hacerla gritar?

~

Pollo perdido va derecho al zorro.

~

Un pez come otro pez, el halcón se come a ambos.

~

Cuando el peuco muere, la gallina no llora.

~

Si invitas cigüeñas, debes tenerle ranas.

~

Donde encuentra huevos, ahí pone la gallina.

No mires el color, fíjate en el sabor.

❧

Cada uno echa un huevo a la olla.

❧

Este huevito quiere sal...

❧

Más raro que huevo con cejas.

❧

Gallina negra pone huevos blancos.

❧

El avaro mata la gallina de los huevos de oro.

❧

Y cuidado, con pisar huevos.

❧

Al que come huevos no le importa si a la gallina le
duele el trasero.

❧

Más vale un huevo hoy, que un pollo mañana.

❧

No se hacen tortillas sin quebrar huevos.

❧

Si no arriesgas un huevo, no tendrás pollos.

❧

Estaba más fregado que pollo mojado.

❧

¡Alégrate pollo, que mañana te guisan!

❧

Esto dijo la gallina cuando la iban a matar:
este mal no tiene cura, pongan l'agua a calentar.

Ni ave sin nido, ni goce incumplido.

❧

Más vale pájaro en mano que ciento volando.

❧

Pájaros de un mismo plumaje vuelan juntos.

❧

Un pájaro me ofreció las plumas de su copete: mas
no hay pájaro en esta vida que cumpla lo que
promete.

❧

Las gallinas del verano se cuentan en otoño.

❧

Cada gallo canta en su gallinero.

❧

Quiere ser el único gallo en este gallinero.

❧

Cada gallo es amo y señor de un montón de caca.

❧

Fiesta o duelo, igual al gallo le cortan el cuello.

❧

A gallo que no canta, le cortan la garganta.

❧

Duérmete niño, duérmete tú, antes que venga el
currucutú.[28]

❧

Una rosa no hace corona y un pajarito no trae
primavera.

---

[28] Apodo de depredadores nocturnos como el búho y el chuncho.

Pajarraco perdido, mi cabeza no es nido.

❧

Cabeza de polla, olvida tranquila, que de ti se
acuerda la cazuela y la olla.

❧

Los pájaros pueden olvidar la trampa, pero la
trampa jamás olvida los pájaros.

❧

Se las emplumó, se echó a volar.

❧

Una golondrina no hace verano.

❧

Es como criar cuervos con filete.

❧

No gastes pólvora en gallinazos.[29]

❧

¡Dele con que las gallinas mean !

❧

Murió pollo el muy cínico, sin decir ni pío.

❧

Lo que dura la lombriz en el pico del pavo.

❧

Poco a poco, el pájaro hace su nido.

❧

¡Callado el loro! dijo comiendo nueces.

---

[29] El gallinazo, nombre castizo del jote, es un ave negra carroñera, un
buitre, que no hace daño ni sirve para la cazuela.

Alimenta los pollos con aserrín y se te vuelven pájaros carpinteros.

❧

El pato se conoce por la cagada.

❧

Los cerros tienen ojos, los matorrales oídos y el viento boca.

❧

Dios sabe por qué a la gallina le recortó las alas.

❧

Gallina que no cacarea no vende huevos.

❧

Hogaño no hay pájaros en los nidos de antaño.

❧

Está tan a disgusto como pollo en corral ajeno.

❧

Cuando la gaviota visita al labrador, mal le va al pescador.

❧

Palabra suelta, no tiene vuelta.

❧

Oído de traile, tiene la niña.[30]

❧

Si robaste y engañaste, huevo de pato pusiste.

❧

Con la mano derecha le da maíz a las gallinas, con la izquierda le quita sus huevos.

---

[30] Traile o queltehue, ave de finísimo oído que delata al llevador.

Si no tienes alas, no intentes volar.

❧

Una abeja sola no da miel.

❧

Lo que no es bueno para la colmena, no es bueno para la abeja.[31]

❧

Colmena sin reina, colmena sin miel.

❧

¿Para qué veneno si puedes matar con miel?

❧

Si eres abeja, pronto encontrarás colmena.

❧

Amarga es la miel para una boca sucia.

❧

Quien miel maneja, dulzura se le pega.

❧

Al que se vuelve miel, se lo lamben.

❧

¡Y llegaron sonrientes los abejorros a la miel!

❧

Este panal no tenía miel.

❧

A la picadura de abeja: cera de oreja.

❧

Era todo miel sobre hojuela.

---

[31] Marco Aurelio, emperador de Roma: *Pensamientos*. Libro Sexto.

Reparte miel y se juntarán las moscas.

~

Más moscas caen con la miel, que con la hiel.

~

Por si las moscas, cierre con llave.

~

En boca cerrada no entran moscas.

~

Por una mosquita se vomita.

~

Las agarra al vuelo.[32]

~

Ahora se hace la mosquita muerta, el fresco.

~

Parece mosca en leche.

~

Vamos a ver cuántos pares son tres moscas. [33]

~

Si los mariposones tuvieran alas, no se vería el sol.

~

Si miras lo que come el faisán, no comerías faisán.

~

Los primeras guindas son de los pájaros.

~

Y ahora ¡póngale la guinda al pavo !

---

[32] La habilidad de capturar con la mano moscas al vuelo, provoca admiración en el campo, pues denota reflejos y buena puntería.
[33] Frase del Ministro del Interior, Carlos Figueroa Serrano.

Dios y sus Acólitos

Más vale hacer negocio con Dios, que con los santos.

❧

Hay que prenderle una vela a cada santo.

❧

No es santo de mi devoción.

❧

Tiene santos en la corte.

❧

Va a desvestir un santo para vestir otro.

❧

Entre santa y santo, pared de calicanto.

❧

Dios está en los detalles.

❧

A Dios rezando, y con el mazo dando.

❧

Quien manda, Dios lo manda.

❧

De riqueza y santidad, la mitad de la mitad.

❧

El hombre hace almanaques y pronósticos, pero es
Dios que hace el tiempo.

El pan es la cara de Dios.[34]

❧

Dios los cría, el diablo los junta.

❧

Los cuidados del sacristán mataron al cura.

❧

Quien madruga, Dios le ayuda.

❧

Caminos justos, Dios los bendice.

❧

La flor más pequeña mira, el poder de Dios admira.

❧

Si Dios no perdonara, nadie iría al cielo.

❧

Arriba de Dios no vive nadie.

❧

Por donde pecas pagas.

❧

Quita la causa, quita el pecado.

❧

Pecado otorgado, medio perdonado.

❧

De un pecado se hace un pastel.

❧

Viaje con cura, varada segura.

---

[34] –Siempre que no sea pan integral, –acota a la hora de onces Xaviera Quiroga, de nueve años.

Que Dios me guarde de mis amigos, que de mis enemigos me cuido yo.

~

El hábito no hace al monje.

~

Dios castiga, pero no a palos.

~

El cura bautiza primero a sus propios hijos.

~

Dios hizo las mariposas de todos colores, pero al elefante lo dejó gris.

~

Quien se muda, Dios le ayuda.

~

Más falso que Judas.

~

Que Dios te de a ti el doble de lo que deseas para mí.

~

Dios no hace monedas, mas hace modos y maneras.

~

Dios no es rico: pide a unos y da a otros.

~

Todos me dieron y me darán ¡ay! cuando el cielo no me dé.

~

El cura Gatica, predica pero no practica.

~

No se puede repicar y andar en la procesión.

El supremo saber es hacer de los enemigos, amigos.

～

La procesión va por dentro.

～

Si te pica el alacrán, corre y vuela al sacristán.

～

Sacristán que vende cera y no tiene cerería
¿de dónde pecatas meas si no de la sacristía?[35]

～

Por el pulgar llega el alma a su lugar.

～

El ojo es el espejo del alma.

～

El ojo es más hambriento que la tripa.

～

Voz del pueblo, voz de Dios.

～

De todo hay en la villa del Señor.

～

Ahora sí digo yo lo que mi mamá decía: que después
de ojo sacado no vale Santa Lucía.

～

Mientras más cerca la iglesia, más lejos el cielo.

～

Es más papista que el Papa.

---

[35] Del Ordinario de la antigua misa en latín: *ut indulgére dignéris omnia peccáta mea* (y dígnate perdonar todos mis pecados). También se dice: Sacristán que vende cera y no tiene colmenar, raspaverum, raspaverum de las velas del altar.

Con el Papa ¡ni a misa! [36]

No tanto amén, que se acaba la misa.

Dios le dio pan a este y hambre al otro.

La necesidad tiene cara de hereje.

Dios aprieta, pero no ahorca.

El bien y el mal, en la cara se ven.

El bien no es conocido, sino cuando es perdido.

Haz el bien y no mires a quien.

De día beata y de noche gata.

Que corra, que corra y nadie lo socorra;
que venga, que venga y nadie lo detenga. [37]

Dios hizo los dientes, y también el pan.

Uno ve caras, no corazones.

Nadie muere hasta que Dios quiere.

---

[36] Original de Nicanor Parra.
[37] Fórmula de espiritismo.

Dios creó tres enemigos: la rata en la casa, el puma en el cerro y el cura en el pueblo.

≈

Al malo nunca le falta el grano.

≈

No creo en brujas, pero que las hay, las hay.[38]

≈

Dios no hizo los diez dedos iguales.

≈

Al pájaro ciego, Dios le hace su nido.

≈

Quien da al pobre, le presta a Dios.

≈

No hay iglesia sin sermón, ni matrimonio sin discusión.

≈

Escrito está en la palma lo que ha de pasar al alma.

≈

Dios, viendo que no se la podía, creó la madre.

≈

La lengua del hombre es el látigo de Dios.

≈

Errar es humano, perdonar divino.

≈

Dios no está libre de pecado: creó el mundo.

---

[38] Aporte de Lucía Padilla, quien nos mandó desde Bogotá dos libros de dichos y refranes colombianos.

Lo que puedes solo, no esperes de otros.

❧

Ayúdate y Dios te ayudará.

❧

Los ricos tienen brazos largos, pero no llegan al cielo.

❧

Dios da el timón, pero el diablo infla las velas.

❧

La soledad sólo sirve a Dios.

❧

En italiano se habla a las damas, en francés a los
sabios, y en castellano a Dios.

❧

No hay que temerle sino a la ira de Dios y a la
escasez de mujeres.

❧

Si Dios no existiera, habría que inventarlo.[39]

❧

Dios da la llaga y da la medicina.

❧

Jote no seas listo, come lo que te dan, que más vale
ser obispo, que cura ni sacristán.

❧

¡Cuidado! que detrás de la cruz está el diablo.

❧

Más sabe el diablo por viejo, que por diablo.

---

[39] Dicho atribuido al filósofo francés Voltaire (1694-1778).

Así paga el diablo a quien bien lo sirve.

❧

Cuando el diablo se encarna, se hace monje o abogado.

❧

No puedes servir a Dios y al diablo.

❧

Los priscos y los diabólicos no están nunca quiéticos.

❧

Las armas las carga el diablo.

❧

En el seso vacío anida el diablo.

❧

Se llevó el diablo al demonio.

❧

La intención vale.

❧

El camino al infierno está pavimentado de buenas intenciones.

❧

Las puertas del infierno están siempre abiertas, aunque llueva.

❧

En tiempo de guerra, no se va a misa.

❧

Toda tumba sirve igual, sea tierra o mausoleo.

❧

Pueblo chico, infierno grande.

Más vale diablo conocido que santo por conocer.

❧

Se cuenta el milagro, pero no el santo.

❧

Corre tan ligero que debe sentarse a esperar el ángel
de la guarda.

❧

El diablo no es tan negro como lo pintan.

❧

Más hipócrita que el diablo vendiendo cruces.

❧

Lucifer no muere para ahorrar gastos del funeral.

❧

Se fue donde el diablo perdió el poncho.

❧

Si naciste para martillo, del cielo te caen los clavos

❧

Aquí, el diablo metió su cola.

❧

Hijo igual al padre, habla bien de la madre.

❧

Porque somos de garabato y de Dios le guarde.

De Mujeres y Amores

Donde hay mozas, hay rosas.

❧

Mujer bien trabajada, rinde más que un fundo.

❧

Boquita de miel, corazón fiel.

❧

No hay amor feo.

❧

Amor con amor se paga.

❧

La mujer que quiere a dos no es tonta sino advertida:
si una vela se apaga,
otra le queda encendida.

❧

Amor con hambre no dura.

❧

Ni amor forzado, ni zapatos prestados.

❧

Donde hay amor, hay dolor.

❧

Amor sin beso es como chocolate sin queso.

❧

Mal de lagartija: la madre mejor que la hija.

El paño por la trama, la hija por la mama.

~

Mal del tordo: las patas flacas y el poto gordo.

~

Hija mía, delicia, que todo lo que ves es codicia.

~

Duérmete, niñito, cejas de algodón, tu madre una rosa, tu padre un botón.

~

Niña y mantequilla: tenlas lejos del sol y la trilla.[40]

~

Los velos de la madre Celestina, que unos pasan por debajo y otros por encima.

~

Por un rato de gusto pierde la mujer la fama, nueve meses de barriga y cuarenta días de cama.

~

Criar una criatura es crear el mundo.

~

El criar es fiero mascar.

~

El tonto la echa, el sabio la lleva.

~

El hombre propone, Dios dispone y la mujer descompone.[41]

---

[40] Faena masculina de apartar el grano con el pisoteo de las bestias.
[41] *El corazón del hombre piensa un camino, mas Jehová endereza sus pasos.* Santa Biblia, Prov. 16:9.

En los brazos de su padre, en los pechos de su madre, como la rosa cuando se abre.

❧

Sois dos mariposas que voláis dichosas.

❧

Las solteras son de oro, las casadas de plata, las viuditas son de cobre y las viejas, de hojalata.

❧

Buena de tocar, pero no de ver, dijo el huaso ante gorda en minifalda.

❧

Cara tuerta y ventura derecha.

❧

Fea como un susto.

❧

Con la risa en la cara, el alma no se amarga.

❧

Dulces son las damas, mas fuera de sus casas.

❧

Quien se casa quiere casa y costal para la plaza.

❧

La mujer sabia con sus manos levanta su casa, la necia con el corazón la deshace.

❧

El amor de juventud es agua en la panera.

❧

Antes que te cases, mira lo que haces.

La amante que te da su cuerpo y su amor, es rosa sin espinas.

❧

Amor de verano es fuego de pajar: arde rápido y se apaga al rato.

❧

Madrastra, el nombre basta.

❧

Busca mujer en la faena, no en la verbena.

❧

La niña virtuosa no tiene que correr para encontrar marido.

❧

Un cabello de mujer tira más que una yunta de bueyes.

❧

La mujer del César no sólo debe ser honrada, debe además parecerlo.[42]

❧

No corras por un hombre ni por un tranvía, siempre vendrá otro.

❧

La suegra olvida que un día fue nuera.

❧

Cómete el pescado fresco, y casa a tu hija joven.

---

[42] Julio César (100-44 a.C.) al repudiar a su esposa Pompeya, luego de rumores que la acusaban de amoríos con el tribuno Clodio.

Humo, cebolla y mujer hacen llorar.

❧

Si todas las hijas son buenas, ¿de dónde vienen las mujeres malas?

❧

Hombre sin mujer es roble sin hoja.

❧

Cuando un hombre está loco por una mujer, sólo ella puede sanar la enfermedad.

❧

Mujer casada, ni cruda ni asada.

❧

La mujer y el vidrio, siempre en peligro.

❧

Gato y mujer dentro de casa, hombre y perro fuera.

❧

El hombre tiene siempre la razón , pero la mujer nunca se equivoca.

❧

Es como cucaracha: uno con ella para afuera y ella subiéndose por la escoba.

❧

Mujer y mula responden al cariño.

❧

Soltero el pavo, de novio el león, casado el asno.

❧

La mujer infiel lamenta, la mujer fiel añora.

Para quien se casa viejo, la noche es corta.

❧

Marido y mujer, una sola alma.

❧

En pleitos de casa, ni las cenizas se salvan.

❧

Casa a tu hija como puedas y a tu hijo como quieras.

❧

Tu hijo es tu hijo hasta que se casa, tu hija es tu hija
hasta que mueres.

❧

Hijo de hija, nieto será; hijo de hijo, nadie sabrá.

❧

El trabajo de una mujer vale más que el discurso de
cien hombres.

❧

Una mujer hermosa es un paraíso a la vista, un
infierno al alma, y un purgatorio al bolsillo.

❧

Cásate rápido, y arrepiéntete despacio.

❧

La dieta del lagarto: come poco y ama harto.

❧

El primer matrimonio es un trago de miel; el
segundo, de vino y el tercero, de veneno.

❧

Buena es la novia, mas ciega de un ojo.

Habiendo fiesta y velorio regado, no hay novia fea ni muerto malo.

❧

La novia del estudiante no es la mujer del doctor.

❧

Ni novia sin cejas, ni boda sin quejas.

❧

Ni novia sin velo, ni mujer sin celo.

❧

Dame la honra y cómete la boda.

❧

Matrimonio: un Cristo más y una virgen menos.

❧

Es mejor bien quedada que mal casada.

❧

La mujer cuando quiere, el hombre cuando puede.

❧

Cuando dos no quieren, uno no puede.

❧

Pretender apartar a dos que se quieren bien, es echarle leña al fuego y sentarse a verla arder.

❧

Quien a la mujer viste, sus favores obtiene.

❧

Lo que haces en la boda, no haces en la vida toda.

❧

Quien bien te quiere, llorar te hace.

❧

Quien te quiere te aporrea.

En lo aborrecido encuentras lo querido.

❧

Quien se casa por la moneda, pierde la moneda y la mujer queda.[43]

❧

En casa de mujer rica, ella manda y ella grita.

❧

El amor de las rubias es como el del alacrán: cuando ven al hombre pobre, paran la cola y se van.

❧

A ningún amante viejo le des entrada en tu casa, que poco fuego enciende el carbón que ha sido brasa.

❧

Cuando la huérfana se quiere alegrar, cielos y tierra se ponen a llorar.

❧

Lo que la vieja quería, en los sueños le venía.

❧

Ni linda de encantar, ni fea de espantar.

❧

La suerte de la fea, la bonita la desea.

❧

Ni tan bonita que mate, ni tan fea que espante.

❧

Mujer pecosa ¡sabrosa cosa!

---

[43] También: No te cases con viejo por la moneda, la moneda se acaba, y el viejo queda.

Quien no tiene una hermosa, besa a las mocosas.

❧

Si la mujer fuera buena, Dios tendría una.[44]

❧

Ni miércoles sin sol, ni parto sin dolor,
ni mosca sin amor.

❧

Quien ama su cocina no huye con la vecina.

❧

Ni donde tu tía vayas cada día.

❧

Una madre y un vendaval tapan mucho mal.

❧

La mujer guarda un secreto que no conoce.

❧

El hombre es fuego; la mujer, estopa: viene el diablo,
y sopla.

❧

Si quieres mujer de corazón, sube por ella un
escalón.

❧

Quien quiere celeste ¡qué le cueste!

❧

El que la busca y la sigue, la consigue.

❧

Más metido que mano de matrona.

---

[44] De hecho, los papiros del Mar Muerto indican que el dios bíblico,
Jahvé, tenía una: Asherah, antigua diosa de Canaan.

No hay mejor madre que la que te pare.

~

El consejo de una mujer es poco, pero quien no lo toma es loco.

~

Si el corazón es ciego, vale el ojo abierto.

~

En corazón amargoso no entra risa ni gozo.

~

De los míos quiero decir, amor quiero sentir.

~

Si negra es Ana, más negra su hermana.

~

Puta la madre, puta la hija, puta la manta que las cobija.

~

Tres hijas y una madre ¡qué vida para su padre!

~

Un dolor más, y un hijo.

~

Una casa sin mujer es casa del diablo.

~

Más vale ser la mascota de un viejo, que la esclava de un joven.

~

Cuando una mujer te diga al oído, que te quiere y te idolatra, es señal que te ha olido plata.

La mujer que se enamora de la plata y no del hombre, es mejor que se enamore de aquello que el burro esconde.

❧

Los niños traen su marraqueta bajo el brazo.

❧

Madre hay una sola, (¡por suerte!).

❧

Una madre para cien hijos y no cien hijos para una madre.

❧

Más perdido que Adán en el día de la madre.

❧

Si de blanco se vistió, hermosura se atrevió.

❧

El celo es castigo del cielo.

❧

La sal y el baile y la boca al aire.

❧

Amantes y ladrones: oscuridad y rincones.

❧

Es distinto, muy diferente las lechugas de la parcela que las pechugas de la Marcela.

❧

El mozo bueno se queda con la hija del amo.

❧

Cuando se cose y amasa, todo pasa.

Dime, cabeza ¿qué hago para ser hermosa?[45]

❧

Las niñas buenas van al cielo, las maldadosas a todas partes.

❧

Si paz en casa falta, el amor falta.

❧

Uno la tienta, otro la goza.

❧

Si quieres gozo ¡a mujer con bozo!

❧

Después del gusto, que venga el susto.

❧

Hombre miedoso no goza mujer guapa.

❧

A la mujer sabia, el marido la llama hermana.

❧

Cada par con su para cual.

❧

Pleito de marido y mujer, la colcha va vencer.

❧

Señorita Soledad, yo le digo la verdad: si no se pone enaguas, se le ve la claridad.

❧

Contigo, pan y cebolla.

---

[45] Cervantes, *Don Quijote* Segunda Parte. Cap. LXII. La respuesta de la cabeza encantada es: *Sé muy honesta.*

Las otras Yerbas

Del espinal sale la rosa.

~

Cada uno en su tino tiene un espino.

~

Cuanto más está la pera en el peral, más espera.

~

¡Cómo crece la mala hierba!

~

La maleza no muere ni enferma.

~

No se abre la mora antes de su hora.

~

El pasto del vecino es siempre más verde.

~

Pare iñor, que las cañas se vuelven lanzas.[46]

~

Ají dulce no hay.

~

¡Calla Inés! que por la boca muere el pez.

~

Quien calla, otorga.

---

[46] Original de Francisco de Quevedo (1580-1645) *Sentencias*, 317.

Quien busca, encuentra.

❧

Buscando lo que no se encuentra, se encuentra lo que no se busca.

❧

Los males tuyos no cuentes a ninguno.

❧

¿Para qué tanto toronjil, cuando tanta pena no hay?

❧

Pueblo de minería, pueblo de porquería.

❧

La minería es más vicio que oficio.

❧

En mina con tanto oro no hay que creer.

❧

El campo ennegrece, empobrece y embrutece.

❧

En minas, mulas y mujeres hay que desconfiar y más si se deben manejar.

❧

Es hueco como mata de arrayán florido.

❧

Lengua tierna, rompe huesos duros.

❧

La ociosidad es la madre de todos los vicios.

❧

Cuando el diablo no tiene qué hacer, desarma la casa y la vuelve a hacer.

Lo que conviene, a la casa viene.

～

La caridad empieza por casa.

～

Tener casa no es riqueza, pero no tenerla sí es pobreza.

～

De buena casa, buena brasa.

～

Por decir ¡fuego! no se quema la casa.

～

Deja tu casa, ven a la mía, verás el buen día.

～

No digas al loco ni mucho ni poco.

～

Le apuntó medio a medio, dio en el clavo.

～

Güen dar con l'agua helá.[47]

～

Soldado que arranca, sirve para otra batalla.

～

Guerra avisada no mata soldado.

～

Quien amargo engulle, dulce escupe.

～

Todo tiempo pasado fue mejor.

---

[47] Mal pronunciado se puede entender de otra manera.

Mejor, cien muertes lejos que una cerca.

Vida sin salud, la muerte es más dulce.

El que viene a matarte, madruga a matarlo.

Muera Simón con cuantos son.

Ni todos ríen en el día, ni todos mueren en un día.

Todo depende del cristal con que se mire.

Cama corta y muerte dulce.

Todo tiene arreglo, menos la muerte.[48]

Duérmete niñito, que estás en la cuna, que no hay mazamorra ni leche ninguna.

Estuvimos un mes pelando el ajo.[49]

Del ajo no puedes hacer almendras.

No te arrastres donde no se come.

Olla de muchos no bulle.

---

[48] Todo tiene arreglo, menos la deuda, dicen ahora en el campo.
[49] Haciendo trabajos pesados.

Más vale maña que fuerza.

❧

Es mejor que digan: aquí corrió un cobarde, que no:
aquí murió un valiente.

❧

Honra a cada uno y no maltrates a ninguno.

❧

Obras son amores y no buenas razones.

❧

Actúa por amor, no por pena.[50]

❧

La culebra hay que matarla por la cabeza.

❧

Es más chueco que pedo de culebra.

❧

El que primero lo huele, debajo lo tiene.

❧

Más malo que el viejo que se tiró un pedo por la
manguera del buzo.

❧

¿Qué bicho le picó?

❧

¡Si el joven supiera y el viejo pudiera!

❧

Los viejos duran más.

---

[50] *Mucha diferencia hay de las obras que se hacen por amor a las que se hacen
por agradecimiento.* Cervantes: *Don Quijote.* Segunda Parte, Capítulo
LXVII.

El viejo dura porque se cura.

❧

Con los años, los desengaños.

❧

Mientras más canas, más ganas.

❧

No es ni chicha, ni limonada.

❧

No sabes la chichita con que te estás curando.

❧

Quien no sabe de abuelo, no sabe lo bueno.

❧

Para vivir cien años un hombre debe comer la mitad, caminar el doble y reírse el triple.[51]

❧

La experiencia es madre de la ciencia.[52]

❧

Según haga su cama es como uno se acuesta.

❧

Hazme bien la cama y tápame con una rama.

❧

La cama es una rosa, si no se duerme, se reposa.

❧

El que ríe último, ríe mejor.[53]

---

[51] Aporte de Rafael Zorrilla, Buenos Aires. Atribuido a un juez rural de Córdova que sobrevivió más de cien inviernos.

[52] Ver epígrafe en página 5.

[53] También: El que ríe último, no entendió el chiste.

Me di con una piedra en el pecho de felicidad.[54]

❧

Jalisco nunca pierde.

❧

Cada uno es cada uno y los otros, son los demás.

❧

Perdió hasta la camisa.

❧

Póngasela al revés hasta el otro mes.

❧

Es tan desconfiado, que después de dar la mano se cuenta los dedos.

❧

La confianza es buena, el control es mejor.

❧

En la confianza está el peligro.

❧

En casa de jugador, poco dura la alegría.

❧

Gozo sin medida acorta la vida.

❧

Si has de manejar ¡refrénate en el tomar!

❧

La ventura es del que la procura.

❧

Pastelero a tus pasteles.

---

[54] Viene de ritos bárbaros de infligirse daño en fiestas religiosas.

Nunca te arrepientas de lo que hiciste, sino de lo que dejaste de hacer.[55]

El beber y el comer al gusto tuyo, el vestir y el calzar al gusto de la gente.

No por mucho madrugar amanece más temprano.

Quien no madruga, no manduca.

Al hombre más fuerte lo tapa la tierra.

Hacer y no agradecer es como segar y no ver.

Bien guardado y mal buscado.

Voz de grillo, tos de marinero.

Cada uno tira la cuerda de su molino.

¡Ya anda tirando el poto hacia las moras!

Todos los caminos llevan a Roma.

Roma no se hizo en un día.

Quien boca tiene, a Roma llega.

---

[55] Consejo de mi abuelo, don Francisco Huneeus Gana (Q.E.P.D.).

Hablando del rey de Roma, y él que se asoma.

&

En Roma, haz como los romanos.[56]

&

Donde fueres, haz lo que vieres.

&

No dijo esta boca es mía.

&

El que tiene mucha boca, se equivoca.

&

Cuando tú ibas, yo ya venía.

&

Quiere tapar el sol con la mano.

&

No hay nada nuevo bajo el sol.[57]

&

Al sol más caliente se arrima la gente.

&

Quien contigo habla de otros, con ellos habla de ti.

&

Quien mal habla, mal oye.

&

Pedro Pablo Pérez Pereira, pobre pintor portugués,
pinta paisajes por poca plata para pagar pasaje a
París.

---

[56] San Ambrosio a Santa Mónica, madre de San Agustín, cuando
consultó si en Roma debía ayunar el sábado.

[57] Hasta este refrán es viejo: viene del latín *Nihil novum sub sole.*

Quien mucho escoge, lo podrido se come.

᷈

Son uña y mugre, calzón y poto de unidos.

᷈

Ni que fueran cortados por la misma tijera.

᷈

El que tiene buen diente ¡que se ría de la gente!

᷈

El rey va donde puede, no donde quiere.

᷈

Vuelto hacia donde más calienta el sol.

᷈

Muy parado en la hilacha, el guapo.

᷈

Mostró la hilacha, el bruto.

᷈

Por la hebra se saca el ovillo.

᷈

Se le paró la pluma al indio.

᷈

Más vale pasarse que no llegar.

᷈

Prefiero pasar hambre de pie, que comer arrodillado.

᷈

Se juntaron el hambre y las ganas de comer.

᷈

Se acabarán las piedras, pero los tontos nunca.

᷈

Calabaza hueca, no va al fondo.

Vuestro don, señor hidalgo, es el don del algodón,
que para tener don debe saber algo.

~

Padre arriero, hijo caballero, nieto pordiosero.

~

El que se excusa, se acusa.

~

Lo que se usa, no es excusa.

~

La casa que busca está a la vuelta de la loma.[58]

~

Casa de dos puertas, mala es de guardar.

~

La casa del doliente se quema y no se siente.

~

Allá viene ño viejo, cartera de fierro.

~

Se me lengua la traba con estos refranes.

~

A buen entendedor, pocas palabras.

~

A palabras necias, oídos sordos.[59]

~

Le dio cancha, tiro y lado al pescado.

~

En todas las casas bullen lapas.

---

[58] Medida de distancia para indicar siete leguas o N kilómetros.
[59] También: A palabras embarazosas, oídos anticonceptivos.

En todas partes se cuecen habas.

~

Cada boca quiere su sopa.

~

Cada cosa a su hora.

~

Una cosa es una cosa, y otra cosa es otra cosa.

~

Un lugar para cada cosa y cada cosa en su lugar.

~

Cada loco con su tema.

~

Procura ser un gusto, y a nadie causes daño ni disgusto.

~

Como te vez tú, una vez me vi yo, y como tú me ves, te verás tú.

~

Yo fui lo que tú eres, tú serás lo que yo soy.[60]

~

Si el corazón fuera ciego, no lo vencía el dinero.

~

Ojos que no ven, corazón que no siente.

~

Ojos de extraños, no ven daños.

~

Ni vino sin zumo, ni fuego sin humo.

---

[60] Anotación sobre una calavera humana de la Escuela de Medicina.

Si uno vino al mundo, y no toma vino ¿a qué vino?

∾

Bueno es el vino, cuando es bueno el vino.

∾

Otra cosa es con guitarra.

∾

Beberse una bota sin botar una gota.

∾

El que más tiene, más quiere.

∾

¡Qué enredo! dijo la jaiba cuando abrazó al pulpo.

∾

Enfermo que come, no muere.[61]

∾

Aunque apenado, nadie me quita lo comido y lo bailado.

∾

Mesa bien puesta, nadie sabe lo que cuesta.

∾

Para lo hecho, no hay provecho.

∾

A lo hecho ¡pecho!

∾

Del dicho al hecho, hay mucho trecho.

∾

Cuando menos se piensa, salta la liebre.

---

[61] También: Enfermo que muere, no come.

Un tropezón, cualquiera da en la vida.

≈

Juan Segura vivió muchos años.

≈

Hombre prevenido vale por dos.

≈

De atrás pica el indio.

≈

¡Agáchate que vienen los indios!

≈

Donde comas, no cagues.

≈

Mira bien lo que dices y mejor lo que haces.[62]

≈

Después de la noche, viene el día; después del mal,
viene el bien.

≈

Si lo bueno es breve, es doblemente bueno.

≈

De lo bueno, poco.

≈

La brevedad es la mejor parte de la cortesía.

≈

Puntualidad, cortesía de los reyes.

≈

Deja de comer, y no de hacer.

---

[62] *Mire vuestra merced bien lo que dice, y mejor lo que hace -dijo Sancho.*
Cervantes *Don Quijote*, Capítulo XXI.

Más ordinario que frenillo de mimbre.

❧

Mierda propia siempre huele bien.

❧

Se fue por las ramas el hablador.

❧

¡Ya sacó los pies del plato!

❧

Esto de cobrar deudas, es pisar callos.

❧

Ese bruto es de las chacras.

❧

Sólo el necio piensa que alcanzó la ciencia.

❧

¿Prefiere dos tazas de té o dos tetazas?

❧

Es caído del catre, el tonto ese.

❧

Más cargante que tractor a pedales.

❧

Hay muchas cuerdas para un mismo trompo.

❧

¿Cuándo canta Gardel?[63]

❧

Se anotó un poroto con ese gol.

❧

Ni al arco iris es capaz de meterle goles.

---

[63] ¿Cuándo pagan?

Gana fama y échate a la cama.

❧

¿Quieres fama? Que no te de el sol en la cama.

❧

Se durmió sobre los laureles.

❧

Más vale una buena fama que un saco de plata.

❧

El hombre goza el nombre.

❧

De burla no se muere, pero se sufre.

❧

Salga de mi mano, vaya donde mi hermano.

❧

Prefiero un buen vecino a un hermano y un primo.

❧

La familia ¡en fotografía!

❧

Donde vayas, haz lo que vieres.

❧

Un padre crece a diez hijos, diez hijos no mantienen
a un padre.

❧

Cuando el padre da al hijo, ríe el padre y ríe el hijo.
Cuando da el hijo al padre, llora el hijo, llora el
padre.

❧

Mis hijos casados, mis males redoblados.

Hijos crecidos, trabajos llovidos.

❧

Niños chicos, problemas chicos, niños grandes,
problemas grandes.

❧

Ni hijos ni haciendas se hacen con manos ajenas.

❧

La tierra, para el que la trabaja.

❧

Genio y figura hasta la sepultura.

❧

Quien lo hereda, no lo roba.

❧

En el pedir no hay engaño.

❧

De tus hijos esperes lo que con tus padres hicieres.

❧

¿Ve usía? se desgranó el choclo.

❧

Quien de afuera vendrá, de casa te echará.

❧

Se destapó la olla; era un fraude.

❧

Sepa Moya, era una olla de grillos.

❧

Eso es mear fuera de tiesto.

❧

¡Fuerza en la orina tiene el hombre !

Ese viejo es hueso duro de roer.

❧

Ni para hacer cantar un ciego me queda plata.

❧

Está dando palos de ciego.

❧

El ciego no quiere espejo.

❧

En el país de ciegos, el tuerto es rey.

❧

El ciego no teme a las ánimas.

❧

El peor ciego es el que no quiere ver.

❧

Ni hay peor sordo que el que no quiere oír.

❧

Aquí termina el mundo, dijo el ciego ante el muro.

❧

Hoy por ti, mañana por mí.

❧

Hoy por ti, mañana por la Alameda.

❧

Quien hace lo que quiere, no hace lo que debe.

❧

Si mucho te escarbas, la nariz te quitas.

❧

Mira la propia antes de criticar la ajena.

❧

Quien se apura, no vive vida segura.

Erase un hombre a una nariz pegado,
erase una nariz superlativa,
erase una nariz sayón y escriba,
erase un peje espada muy barbado...[64]

≈

El que se pica pierde.

≈

La leña verde arde con la seca.

≈

Fuego sin humo no hay.

≈

Tanto grita el ladrón, que cayó el patrón.

≈

Cada cual sabe dónde le aprieta el zapato.

≈

Quien da y quita, le sale una corcovita.

≈

Un bocado, un ducado.

≈

Un niño pregunta lo que siete sabios no responden.

≈

Barreno de cabezal, hace mucho mal.

≈

Unos nacen sin ventura, otros con fortuna y
quebradura.

≈

Quien apurado vive, apurado muere.

---

[64] Quevedo *A una nariz*. Se dice que al clérigo Fresno de Torote.

Vísteme despacio, que estoy de prisa.

∼

Antes mis dientes que mis parientes.

∼

Pueblo minero, pueblo vicioso y pendenciero.

∼

Dime de qué presumes y te diré de qué careces.

∼

¡Ojo al charqui! 65

∼

La vida es de dulce y agraz.

∼

Comamos y bebamos, que mañana ayunamos.

∼

En la puerta del horno se quema el pan.

∼

Lo fácil es pan para hoy, hambre para mañana.

∼

En la mesa y en el juego se conoce al caballero.

∼

Negocios con cualquiera, a la mar sólo con caballero.

∼

El talento no lo venden en la botica.

∼

Lo que natura non da, Salamanca non presta.66

---

65 Charqui, alimento básico del conquistador. Agraz, zumo amargo.
66 Salamanca, universidad donde educaban primates de la nobleza.

Si va a tirarle piedras, vea que usted no tenga tejado de vidrio.

~

Eso es ver la paja en el ojo ajeno, y no la viga en el propio.

~

Al final, libre de polvo y paja salió del lío.

~

¿Para qué llorar sobre leche derramada?

~

Me entró un airecito.[67]

~

Rey que no hace justicia, no debía reinar.

~

Aunque se acueste entre plumas, no pega el tirano
los ojos, que los cargos de conciencia
le rascan más que los piojos.

~

Nunca seas lacho de la zunca porque se enoja la coja.

~

Arma de doble filo: hiere a quien la empuñe.

~

La excepción prueba la regla.

~

Ná que ver, es harina de otro costal.

~

Eso como pedirle peras al olmo.

---

[67] Dudo.

Sería buscarle el cuesco a la breva.

~

Al que le calce el guante ¡qué se lo chante!

~

Y al que le venga el sayo ¡que se lo ponga!

~

¡Vaya despacito por las piedras!

~

Para mentir y comer pescado ¡tenga cuidado!

~

El pescado y el invitado al tercer día huelen mal.

~

¡Ábrete Sésamo![68]

~

Candil de la calle, oscuridad de su casa.

~

Hay que darle tiempo al tiempo.

~

Para avivar el fuego, ¡vamos echándole carbón a la hoguera!

~

Quieren apagar el fuego con bencina.

~

Donde hubo fuego, brasas quedan.

~

Quien bate a la puerta, oye su respuesta.

---

[68] Alí Babá ante la cueva del tesoro, ver *Las mil y una noches*..

No podrás decir que fue accidente,
que nunca nadie es malo de repente.[69]

❧

La mona vestida de seda, mona se queda.

❧

Quedó peor que chaleco de mono.

❧

Quedó como la mona de malo.

❧

Anda con la mona viva y el gorila a cuestas.

❧

El mono que por fortuna corona su trono, por muy
alto que suba, nunca deja de ser mono.

---

[69] Alonso de Ercilla, *La Araucana*, ver Canto XXXVII. Se refiere al *malvado y horrendo maleficio en tu pecho forjado tantos días*.

Idioma de Mar

Surcábamos la mar a la cuadra de la isla de Apiao, cuando aparecieron las toninas. Llegaron chapoteando sobre el agua y nos acompañaron un rato, cruzando bajo la quilla, rodeando la proa.

Fue un presagio. Pero, al recordar lo que pasó después, entendí cómo el mar y la navegación han *empapado* de agua salada el lenguaje terrenal.

En efecto, confiados en la quietud del día olvidamos que *después de la calma estalla la tormenta* y salimos *sin rumbo fijo* con la intención de irnos orillando, *a toda costa*, hacia caleta Porcelana.

Al *embarcarnos en esta aventura*, corría una agradable brisa que prometía no dejarnos *a la deriva*, como esas algas sin voluntad que andan a *media agua* por ahí. Subimos la mayor y el foque, o sea, como decían los antiguos cuando izaban el velamen completo, partimos *a todo trapo*, mi alma.

Luego de *levar anclas*, Verónica se quedó *al mando del buque* mientras yo me encargaba de *atar cabos* del velamen para aprovechar el *viento en popa* que empezó a levantarse. Era un nortazo que venía y si hubiera mirado el barómetro, me habría *agarrado a un salvavidas* porque bajaba y bajaba mientras *negros nubarrones se cernían sobre el horizonte*. Pero, como íbamos bordeando esa costa más bien baja hacia Hualaihué, el único instrumento que vigilaba era el ecosonda. Mide los metros que hay al fondo, factor indispensable para *estar boyante* porque a *falta de fondo* las naves, cual cheques, *dan bote* contra las piedras.

Al llegar a la península Chauchil, debimos *sortear los escollos* que despide dicha punta. Hubo que *timonear* con gran cautela ya que un golpe contra ellos nos dejaría *haciendo agua*, caso en el cual bien puede *hundirse el barco*. Son esas situaciones en que debe uno *gobernar* con mano dura la caña.

Cuando *nos sumimos en mayores honduras* ya no había peligro de encallar, pero *la onda* de las mares *se encrespó* y empezó a darnos cual *oleada* de asaltos. Mas, no *somos lo que botó la ola*.

Para *capear el temporal*, decidimos buscar pronto *un puerto seguro* donde pasar la noche. *Tomamos la ruta* del canal Hornopirén, pero como ya era hora de la vaciante, debimos remontarlo *contra viento y marea*, a puro motor. Era como *vaciar la mar con un dedal*.

¡Qué oscura es una noche de tempestad en la mar! Tapados de lluvia, envueltos en neblina y rodeados de montañas ariscas, clamábamos por *un faro en la noche* para orientarnos. Por fin ¡qué alivio! divisamos el de Hornopirén. Debido al vendaval optamos por *fondearnos* ahí con una espía al muelle y un ancla hacia el río, pero al momento de *atracar el bote*, había en cubierta tal *enredo,* no de redes sino de cordeles, que casi me pasa lo del cura de Calbuco, cuando al largar el ancla de su lancha, un cabo le rodeó un pié y *lo echó al agua.* Todo, por andar dejando *cabos sueltos.*

La noche fue terrible. No queríamos *dejarnos llevar por la corriente*, el viento aullaba sin cesar, y una *mala racha*, me voló la gorra y *echó a pique* la escotilla metálica del puente de *gobierno.* Por obra del oleaje cruzado, la noche entera *se nos movió el piso*, sin dejarnos dormir. Además, con los bandazos se corría peligro de *topar fondo* contra el lecho del río, y rodaban platos y botellas. Debimos levantarnos tres veces para dejar *todo bien amarrado*, hasta que finalmente *salimos a flote*, sintiendo esa alegría del sobreviviente, tan bien expresada en el dicho: *Quien no pasó el mar, no sabe qué es el mal.*

Moraleja: el castellano es más navegado que el tinto y el blanco.

Refranes Acuáticos

Cuídeme Dios de las aguas mansas,
que de las bravas me cuido yo.

❧

Agua que no has de beber, déjala correr; (agua que
pasa atájala por si algo pasa).

❧

Nunca digas: de esta agua no beberé.

❧

Aguas pasadas no mueven molinos.

❧

Uno calienta el agua, otro se toma el mate.

❧

Aguas robadas son sabrosas.

❧

No ensucies el pozo de dónde bebes agua.

❧

Tomando y comiendo ¿quien va a trabajar
lloviendo?

❧

Cerco en luna, agua segura.

❧

Norte claro, sur oscuro, aguacero seguro.

Cuando no truena, relampaguea.

❧

En abril aguas mil, ¡que reviente el barril! y en mayo
hasta que rompa el sayo.

❧

A mal tiempo ¡buena cara!

❧

Tarde de arreboles, al otro día son soles.

❧

El cambio de clima es la mejor quinina.

❧

Ya conozco del invierno el frío.

❧

Año bisiesto, año funesto.

❧

Se ahogó en un vaso de agua.

❧

El agua en que me ahogo, la llamo océano.

❧

Quien se ahoga se agarra hasta de una navaja.

❧

Más vale un vaso de agua en casa de amigo, que uno
de néctar donde el enemigo.

❧

Fue la gota que rebalsó el vaso.

❧

El molinero cree que sólo para su molino llueve.

❧

¡Qué le hace el agua al pez!

Aquí estoy feliz, como pez en el agua.

❧

El pez sólo sabe que está en al agua, cuando lo sacan.

❧

Ve debajo del agua el doctor.

❧

Tanto va el cántaro al agua que al final se rompe.

❧

Pan y lastre…¡hasta cansarte !⁷⁰

El capitán Araya embarca a su gente y se queda en la playa.

❧

A barco nuevo, capitán viejo.

❧

No por construir un barco sabes timonearlo.

❧

El buen Dios ayuda al marino, pero igual él debe remar con sus propios brazos.

❧

El marino se acuerda de Dios sólo al momento de naufragar.

❧

Quien no sabe rezar, métase en el mar.

❧

Más vale que fa falte a que so sobre.

---

⁷⁰ Refrán chilote referido a que en la mar toda precaución es poca. Aporte de Felipe Cubillos, revista *Marina del Sur*, Marzo 1997.

Le neigan la sal y el agua.
≈

Trabajar sin provecho, es echarle sal al mar.
≈

No soples contra el viento, ni nades contra la
corriente.
≈

En mar calmo, cualquier capitán sirve.
≈

El mar no hace alarde de ser salado.
≈

Un barco hundido no impide a los otros navegar.
≈

Toda el agua va al mar y todo el oro al rico.
≈

No porque el agua está calma no andan cocodrilos.
≈

La sequía de un año la borra la lluvia en un día.
≈

Después de la lluvia, sale el sol.
≈

No llueve, pero gotea.
≈

Gota a gota, el mar se agota.
≈

Más resbaloso que pescado enjabonado.

Cuando llueve, para todos llueve.[71]

~

No todas las nubes traen lluvia.

~

La lluvia no se queda en el cielo.

~

Sabio sin obras: nubes sin lluvia.

~

La rana sabe más de lluvia que el almanaque.

~

Año de nieves, año de bienes.

~

Le da igual, como quien ve llover.

~

El agua que tu pasas puede ahogar a otros.

~

El pescado grande engulle al chico.

~

Basta una grieta para que se hunda el bote.

~

Cada sardina espera ser tiburón.

~

Cuando el agua baja, las hormigas se comen a los pescados; cuando el agua sube, los pescados se comen a las hormigas.

---

[71] También: Cuando llueve, todos se mojan.

Agua que corre, no se pudre.

❧

No esperes tener sed para juntar agua.

❧

Los pozos de donde se bombea seguido, dan agua
más clara.

❧

¿Por qué lanzarse al agua antes que se hunda el
barco?

❧

El agua del río corre sin alcanzar al sediento.

❧

Camarón que se duerme, se lo lleva la corriente.[72]

❧

El pozo viejo tiene mejor agua.

❧

El agua nunca olvida su camino.

❧

Lo pequeños esteros hacen grandes ríos.

❧

Los ríos profundos no hacen ruido.

❧

Ha corrido mucha agua bajo el puente.

❧

Se hizo sal y agua.

---

[72] También: *Camarón que se duerme se lo...* bueno, los sapos le faltan el
respeto.

El dinero se va como agua entre los dedos.

～

Se le hizo agua a la boca.

～

Cuando el río suena, piedras lleva.

～

Piedra que anda, no cría lama.

～

A río revuelto, ganancia de pescadores.

～

¡Hasta aquí nos trajo el río!

～

Quien no se arriesga no cruza el río.

～

No hay que buscar al ahogado río arriba.

～

El río pasa, la arena queda.

～

Baja al río si quieres llegar al mar.

～

La rama que cae al agua no se convierte en pescado.

～

Mejor es caer al río rugiente que a la boca de la gente.

～

Gran río, gran señor y gran camino son tres malos vecinos.

Proverbios del Bosque

Los árboles no dejan ver el bosque.

El bosque es el abrigo del pobre.

Del árbol caído todos hacen leña.

Al árbol se le conoce por sus frutos, no por sus raíces.

Por sus frutos los conoceréis.

Cae de maduro el fruto duro.

A su tiempo maduran las brevas.

La manzana nunca cae lejos del árbol.

Mucho ruido para tan pocas nueces.

En este desierto hay más cocos que palmeras.[73]

---

[73] Hernán Poblete Varas refiriéndose a la literatura chilena.

El árbol torcido ni Sansón lo endereza.

❧

Árbol que crece chueco, sirve de columpio.

❧

Quien a buen árbol se arrima, buena sombra lo cobija.

❧

Quien a buen palo se arrima, buen palo le cae encima.

❧

El árbol cae hacia el lado que está inclinado.

❧

No confundas el coco con el damasco, el coco tiene agua, el damasco cuesco.

❧

Hay que romper la cáscara para llegar a la almendra.

❧

No hay rosa sin espinas.

❧

Un golpe a todos los árboles y ninguno cae.

❧

El árbol de la flojera produce el hambre.

❧

No se coge el fruto de la felicidad del árbol de la injusticia.

❧

Si subes al árbol no dejes las sandalias en tierra.

Cuando el hacha entra al bosque, los árboles dicen:
su mango es de los nuestros.

❧

Un buen árbol puede cobijar mil pájaros.

❧

Todo bosque es gris cuando lo reducen a cenizas.

❧

Si un árbol lo botó el viento es porque tenía más
ramas que raíz.

❧

Por el tronco se llega a las ramas.

❧

Por alto que sea un árbol, termina siempre por caer.

❧

Hasta los palos del monte, tienen su destinación:
unos sirven para hacer santos y otros para hacer
carbón.

❧

Al árbol seco de nada le sirve el riego.

❧

El banano, por la mañana es oro, al mediodía, plata,
y por la noche, mata.

❧

Para partir la leña blanda, hay que afilar bien el
hacha.

❧

Apellinado el viejo.[74]

---

[74] Pellín, roble maduro, de madera incorruptible.

¡Ya verá de qué palo se hace la cuchara!

～

De tal palo, tal astilla.

～

No hay peor cuña que la del mismo palo.

～

Y cara de palo puso el descarado.

～

En casa de herrero, cuchillo de palo.

～

Sé como el sándalo que perfuma el hacha que lo corta.

112

La Vida Misma.

El golpe avisa.

≈

La vida es una batalla que la lleva perdida el hombre que sufre y calla.

≈

El golpe es la sanción del torpe.

≈

Guatita llena corazón contento.

≈

No por ser blanco es harina.

≈

La luz al final de túnel, es del tren que viene de frente.

≈

Esto no tiene pies ni cabeza.

≈

Las apariencias engañan.

≈

El arte es largo, la vida breve.

≈

Si uno supiera dónde va a caer, pasaría gateando.

Si un ciego guía a otro ciego, caen los dos.

❧

Un par de lindas tetas tiran más que una carreta.

❧

La carreta nunca pasa al caballo.

❧

Ama a tu patria y a tu rey, sé obediente a tu ley.

❧

La ropa sucia se lava en casa, la del rey en la plaza.

❧

Calabaza, calabaza, cada perro a su casa.

❧

La casa no se barre una sola vez.

❧

No atravieses el puente antes de llegar a él.

❧

Nadie es profeta en su tierra.

❧

Dos se acompañan, tres es una multitud.

❧

Más vale prevenir que curar.

❧

Prefiero lo malo conocido, a lo bueno por conocer.

❧

La hiedra nunca supera al árbol que la sostiene.

❧

Más fácil decir que hacer.

❧

Se come para vivir, no se vive para comer.

Lo mejor es enemigo de lo bueno.[75]

❧

La hora más oscura es antes del amanecer.

❧

El rayo nunca cae dos veces donde mismo.

❧

Dale la mano y se tomará hasta el codo.

❧

Mientras menos bocas, más nos toca.

❧

El que parte y reparte se lleva la mejor parte.

❧

Ver para creer.

❧

Quien roba a un ladrón, tiene cien años de perdón.

❧

La ocasión hace al ladrón.

❧

Quien con lo ajeno se viste, en la calle lo desvisten.

❧

La ambición rompe el saco.

❧

En la variedad está el gusto.

❧

Las paredes tienen oídos.

❧

Montañero no pega en pueblo.

---

[75] Voltaire: *Dictionnaire Philosophique*. París, 1764.

Cuando miras a alguien no ves más que la mitad.

~

Una pequeña chispa causa un gran fuego.

~

Lo que perdiste en el fuego, lo encontrarás en las cenizas.

~

Hay rana y reina.

~

Si las lagartijas fueran buenas de comer, no andarían a la vista.

~

Después de la batalla, todos son generales.

~

Quien no ha visto Sevilla, no ha visto maravilla, y quien no ha visto Granada,
no ha visto nada.

~

Un campesino entre dos abogados es como un pescado entre dos gatos.

~

Tan mal abogado que no saca un niño de la cuna, tan mal ingeniero que se le cayó un puente de los planos, y tan mal dentista que no sabe sacar una raíz cuadrada.

~

Quien pierde la fe no tiene más que perder.

Ley pareja no es dura.

✌

Al leso hay que dejarlo, y al cobarde, animarlo.

✌

La fuerza de la cadena está en eslabón.

✌

Espero y me desespero.

✌

El invierno te preguntará qué hiciste el verano.

✌

Quien teme la muerte, pierde la vida.

✌

Toda luz tiene su sombra.

✌

La ignorancia y la ciencia, límites no tienen.

✌

De nada sirve correr; mejor partir a tiempo.

✌

La compra y la venta no tienen padre ni madre.

✌

Quien desdeña, comprar quiere.

✌

Escupiendo no apagas el fuego.

✌

El propietario tiene una casa; el arrendatario mil.

✌

El lujo de hoy es la miseria de mañana.

✌

El miedo es el sudor de la muerte.

Si coge una piedra grande, es porque no la lanzará.

❧

Mide cien veces, pero da un solo corte.

❧

La caridad es la sal de la riqueza: sin ella se pudre.

❧

El sabio escucha a todos.

❧

Una lámpara no alumbra su propio pie.

❧

Hay que hacer el pan mientras el horno esté caliente.

❧

En el perdón hay un placer que no se encuentra en la venganza.

❧

Sé como el molino: devuelve blando lo que recibes duro.

❧

No se puede volar con alas de otro.

❧

Quien canta, su mal espanta.[76]

❧

El buzo que teme al tiburón, jamás encontrará perlas.

❧

Para una hormiga, el rocío es un diluvio.

❧

No tomes un desconocido como compañero de viaje.

---

[76] También: Quien sus males canta, espanta.

El sueño del guardia es una linterna para el ladrón.

❧

Cuando el fuego llega al bosque, arde la leña seca y la verde también.

❧

Con dos cocineras la sopa queda salada.

❧

En lides de amor el que huye es vencedor.

❧

Donde hay siete matronas, el niño nace atravesado.

❧

No se guardan dos espadas en la misma vaina.

❧

Desconfía del médico enfermo y del peluquero calvo.

❧

Cortar por lo sano es consultar al enfermo antes de llamar al matasanos.

❧

Los errores del médico se tapan con tierra.

❧

El amigo de todo el mundo es amigo de nadie.

❧

Ni café recalentado, ni amigo reconciliado.

❧

Entre sastres no se cobran hechuras.

❧

El ignorante habla, el sabio deduce.

Un hombre sin hijos es un rey sin inquietudes.

≈

Entenderás a tu padre cuando tu mismo seas padre.

≈

Quien ama trabaja.

≈

No hay molino sin ratas.

≈

Más vale arar hondo que ancho.

≈

Imposible ¡hombre! mear en botella.

≈

Pan comido es pronto olvidado.

≈

Si aprendes a robar, aprende también a ser colgado.

≈

Lo mal habido se lo lleva el diablo.

≈

Quien vende trigo es mercader, quien lo acapara es asesino.

≈

Cuando se llena el estanque, se juntan las crápulas.

≈

Si todos suben al palanquín ¿quién lo cargará?

≈

La envidia de un enemigo es su propio castigo.

≈

Nunca des sal ni consejo si no te lo piden.

Nadie se pierde en un camino derecho.

～

Si la montaña no viene a Mahoma, Mahoma va a la montaña.

～

Tuerto, manco, o cojo, ábrele el ojo.

～

Lo que abunda no daña.

～

Lento pero seguro avanza la tortuga.

～

Quien golpea el tambor no escucha el trueno.

～

Si amas la paz, ¡a combatir la guerra!

～

Las guindas son amargas en la punta del guindo.

～

Quien no conoce el dolor, ignora el placer.

～

Al dolor: ¡tripas corazón!

～

Me sentaré en la puerta a ver pasar el cadáver de mi enemigo.

～

Los propios dientes suelen morder la lengua.

～

La guitarra y el caballo según quien los agarra.

El refugio del sabio es la ciencia, el del jaguar es la selva.

❧

Cuando los elefantes pelean, mueren hasta las hormigas.

❧

Al elefante lo matan por su marfil, a los pájaros por sus plumas.

❧

No se incendia el granero para liquidar las ratas.

❧

La luna se ensombrece al acercarse al sol.

❧

No hay peor diligencia que la que no se hace.

❧

Saber hacerlo es fácil, lo difícil es hacerlo.

❧

El que sabe hacerlo, lo hace; el que no, lo enseña.

❧

La letra con sangre entra, y la labor con dolor.

❧

La luz que va adelante es la que alumbra.

❧

Las herramientas hacen al maestro.

❧

Mano de hierro, guante de seda.

Bienaventurados los mansos porque los trasquilan parados.

❧

Al que nació cagado, del cielo le llueve mierda.

❧

Es difícil pillar un gato negro en una pieza oscura, peor si no está ahí.

❧

No es la mala hierba lo que estropea la siembra, es la negligencia del labrador.

❧

El fruto maduro cae solo, pero no en la boca.

❧

Un dedo seco no junta sal.

❧

La vergüenza pasa, las deudas quedan.

❧

La unión hace la fuerza.

❧

Haga fuerza, que yo pujo.

❧

Dos cucharadas y ¡a la presa!

❧

La lengua resiste porque es blanda, los dientes caen porque son duros.

❧

Nunca enciendas un fuego que no puedes apagar.

No es que el pozo sea demasiado hondo, es la cuerda
la corta.
❧

En un mismo estanque, no caben dos dragones.
❧

Las espinas de las rosa son para quien la quiera
coger.
❧

A nadie lo castigan por matar de la risa.
❧

Burlarse de los viejos es quemar la casa donde has
de alojar esta noche.
❧

No eres de quien naces, sino quien pases.[77]
❧

Ser un hombre es fácil, ser hombre cuesta.
❧

Aunque el hombre no viva cien años, se preocupa
por mil.
❧

La vida más corta tiene un siglo de sufrimiento.
❧

Con la vara que mides, serás medido.
❧

Podrán curarse las enfermedades, pero no el destino.
❧

Mejor ser pobre que finao.

---

[77] Pasar se entiende también como cambiarse de bando.

Prefiero ser judío sin barba, que barba sin judío, dijo el rabino.

❧

No por faltarle una ventana, es tuerta la casa.

❧

Mucha humildad es orgullo.

❧

Las liebres caen con perros, las mujeres con dinero y los tontos con alabanzas.

❧

Quien nada debe, nada teme.

❧

El que hace una, hace mil.

❧

La ocasión la pintan calva.

❧

De músico, poeta y loco, todos tenemos un poco.

❧

El saber no ocupa lugar.

❧

La ignorancia es atrevida.

❧

Quien mucho duerme, poco aprende.

❧

Echando a perder se aprende.[78]

❧

A buen hambre, no hay mal pan.

---

[78] Contraseña del maestro chasquilla, que todo lo hace tirilla.

El comer y el rascar, todo es empezar.

❧

Nunca es tarde para empezar.

❧

Quien mucho habla, mucho yerra.

❧

El que trabaja, no come paja.

❧

Cuando la cabeza se hincha, la sepultura relincha.

❧

Hay que cuidar para poder tener.[79]

❧

Querer es poder.

❧

El bien es de plomo, el mal de pluma.

❧

Si alguien te mordió es para recordarte que dientes tienes.

❧

El rabino muere, las escrituras quedan.

❧

Hay verdades que no necesitan ver el día.

❧

El zancudo no tiene piedad del hombre flaco.

❧

Un solo banano pudre todo el racimo.

[79] Arriero de la Patagonia refiriéndose a sus vacunos.

De los vicios sin pecar, el mejor es el cagar:
con un puro encendido queda el culo agradecido y la
mierda en su lugar.[80]

~

Caga tranquilo,
caga sin pena
tonto guailón
¡tira la cadena!

~

Una cebolla servida con amor sabe mejor que un
cordero.

~

Cuando la serpiente prepara la pimienta, la rana
tiembla.

~

No se pone la trampa después de haber pasado la
presa.

~

Dos rayos no comparten la misma nube.

~

Las heridas del látigo sanan, las de la injuria nunca.

~

El que fue a Portugal, perdió su lugar.

~

El miedo no mata la muerte.

~

La muerte no da hora.

---

[80] Poema tallado a cuchillo en un retrete del Colegio San Ignacio.

La muerte es siempre una novedad.

❧

No por usar anteojos sabes leer.

❧

Vi la barba de mi vecino chamuscar y metí la mía a
remojar.

❧

La enfermedad llega a caballo y se va en un caracol.

❧

Lejos del cañón se ponen los viejos soldados.

❧

Chiste repetido sale podrido.

❧

No tiene ni pito que tocar.

❧

Juventud: falla que se borra día a día.

❧

El hombre de más suerte es quien cree en su suerte.

❧

Para saltar hacia adelante, retrocede.

❧

Pequeña gente, grandes corazones.

❧

Trabajo pagado por anticipado, pies de plomo.

❧

Quien sopla al fuego, con cenizas en los ojos queda.

❧

Hay que tapar el pozo antes que caiga el niño.

Quien siembra cebollas no siente el hedor.

&

Entra el vino y sale el secreto.

&

Secretos en reunión son mala educación.

&

Secreto de tres, secreto de nadie es.

&

Más vale un buen apetito que una buena salsa.

&

El buen carpintero echa poca viruta.

&

Lo que no se cuece para ti, déjalo quemarse.

&

Las buenas noticias trotan, las malas vuelan.

&

A todo el que entra al molino lo cubre la harina.

&

Toda vida tiene su gusto, todo gusto tiene su ley.

&

Más vale cargar su propia cruz, que arrastrarla.

&

Lo que el pan y el vino no curan, es incurable.

&

Como Pedro por su casa.

&

No hay dos veranos en un mismo año.

El jabón es gris, pero lava blanco.

❧

Enseñarle a un imbécil, mejor sanar un muerto.

❧

La palabra, como la flecha, una vez lanzada no vuelve atrás.

❧

La palabra no es flecha, pero penetra más.

❧

Quien al rey aprecia, al pueblo desprecia.

❧

Cerca del rey, cerca de la horca.

❧

¡Se las echó el Buin! [81]

❧

No temas a la justicia, pero cuídate del juez.

❧

Quien nace grita, quien muere calla.

❧

Morir también es un arte.

❧

Un ducado antes del proceso, sirve más que tres después.

❧

Quedará escrito en un pedazo de hielo.

---

[81] Carga de caballería en la guerra contra la Confederación Perú-Boliviana de 1837. Ver libro homónimo de Jorge Inostroza (1919-75).

Tantas letras tiene un sí como un no.

❧

Al que no le gusta el caldo, se le dan dos tazas.

❧

Güatita llena, aguanta faena.

❧

Quien con niños se acuesta, mojado amanece.

❧

Antes de morder, ve si es pan o piedra.

❧

Le salió el tiro por la culata.

❧

¡Y no me saque los choros del canasto!

❧

Tener razón antes de tiempo, es una manera de equivocarse.[82]

❧

¡Ojo al piojo!

---

[82] Dicho atribuido por Marguerite Yourcenar al emperador Publius Adrianus, sucesor de Trajano. Ver: *Las Memorias de Adriano*.

El Poderoso Caballero

Con plata, la pena se mata.
❧

Poderoso caballero es don Dinero.
Madre, yo al oro me humillo;
él es mi amante y mi amado,
pues de puro enamorado,
de continuo anda amarillo;[83]
❧

No todo lo que brilla es oro.
❧

La plata busca la plata.
❧

Por plata baila el perro, y por oro, el perro y la perra.
❧

Quien duerme en cama de plata, tiene sueños de oro.
❧

Cuando el oro habla, el seso calla.
❧

El oro es olvidadizo.

---

[83] Francisco de Quevedo *Letrilla Satírica*, N° 142.

La ley de oro: el que tiene oro hace la ley.

≈

El oro te da la tierra, pero es la tierra que da el oro.

≈

El oro ablanda hasta al acero.

≈

No para todos soy monedita de oro.

≈

Más vale un gramo de suerte que un kilo de oro.

≈

Bajo una mala capa se esconde el buen tesoro.

≈

El oro pesa, el plomo pesa, pero más pesa el hombre.

≈

Todo hombre tiene su precio.

≈

La verdad vale más que el oro.

≈

El tiempo es oro.

≈

Ante mulas cargadas de oro, todo castillo abre sus
puertas.

≈

En tiempo de cosecha no se presta la guadaña.

≈

Prestar es azuzar el odio.

No prestes ni pidas prestado.[84]

❧

Quien presta, pierde la testa.

❧

Deudas y fatigas pinchan como hortigas.

❧

El prestador tiene mejor memoria que el deudor.

❧

Lo fiado debe ser pagado.

❧

Paga lo que debes y sabrás lo que tienes.

❧

La pobreza no quita virtud, ni la riqueza la pone.

❧

Pereza, madre de la pobreza.

❧

Me aconsejan que me aguante la pobreza: quien no
lleva la cruz no sabe lo que pesa.

❧

No hay plazo que no se cumpla ni deuda que no se
pague.

❧

La lotería es el impuesto de los bobos.

❧

El dinero torna lo bueno en malo.

---

[84] Polonius, al despedir a su hijo Laertes en *Hamlet* de Shakespeare: *No
prestes ni pidas prestado; porque perderás el préstamo y al amigo, y el crédito
estropea el filo de un buen manejo.*

La constancia vence lo que suerte no alcanza.

❧

Al haragán tarde le viene la gana.

❧

El mal que se puede reparar con dinero no es mal.

❧

Todo hombre es un viajero deseoso de hacer dinero.

❧

La verdad es fuerte, pero más fuerte es el dinero.

❧

Más vale no tener dinero, que no tener alma.

❧

Al hombre de poca plata, la mucha cama lo mata.

❧

Cuida bien los centavos, que los pesos se cuidan
solos.

❧

Tiene más un rico cuando empobrece, que un pobre
cuando enriquece.

❧

Pagan justos por pecadores.

❧

Al lodo y al rico no les cae mancha.

❧

Cuando un rico cae es accidente, cuando un pobre
cae es por borracho.

❧

El rico come cuando quiere, el pobre cuando puede.

Hasta que al rico le da la gana, al pobre le sale el alma.

❧

Yo no pido que me den, sino que me pongan donde hay.

❧

El harto no cree al hambriento.

❧

Más discurre un hambriento que cien letrados.

❧

La pobreza es una prisión de la cual nadie escapa.

❧

Si quieres que un pobre coma un día, dale un pescado; si quieres que se alimente de por vida, enséñale a pescar.

❧

El dinero es riqueza muerta, los hijos son riqueza viva.

¡Que siga la fiesta!

Viene al callo, como bombo en fiesta.

❧

El buen vino hace la fiesta.

❧

Es carrera corrida de fácil.

❧

Ganar esa apuesta fue pan comido.

❧

Está por morir en la rueda de puro cansado.

❧

Guagua que no llora, no mama.[85]

❧

Ya agarró papa ese aprovechador.

❧

El sin casa es dueño del mundo.

❧

El que tiene tierras, quiere guerra.

❧

Quien compra fiado, paga doblado.

---

[85] Guagua, voz quechua para designar al niño de pecho. En Cuba, a los buses urbanos les dicen guaguas.

Y el que tiene tienda, que la atienda.

❧

Por un perro que maté, mataperros me llamaron.

❧

Los mejores doctores son el tiempo y la naturaleza.

❧

Aunque la mar sea honda, no menosprecies la sonda.

❧

El ganar y el perder son hermanos.

❧

La cuerda se corta por lo más flojo.

❧

Cuando elefantes pelean, es la pradera que sufre.

❧

El cojo le echa la culpa al empedrado.

❧

Grandes habladores no son grandes hacedores.

❧

Solterón maduro, maricón seguro.

❧

Maestro ciruela, que sabe todo y no tiene escuela.

❧

La fiesta es hasta que las velas no ardan.

❧

El que pestañea, pierde.

❧

Mundo redondo, si no sabes rodearlo caes al
fondo.

En este mundo redondo, nadie de cagar escapa: caga el pobre, caga el rico, caga el rey y caga el papa.

～

Eso es una falta de Restrepo.

～

Arrieros somos y en el camino nos encontramos.

～

Cantar bien o cantar mal en el campo es diferente: pero al cantar entre gente, cantar bien o mejor no cantar.

～

Es la misma jeringa con otro bitoque.

～

Hasta el rey sin gente vale niente.

～

No te bendigo ni te maldigo, sino en la hora que te lo digo.

～

Se quedó con la bala pasada.[86]

～

Cuando pitos flautas, cuando flautas pito.

～

Quien al año quiere ser rico, a la mitad lo ahorcan.

～

Lo que le dijo el chino al piano: no tecleo.

---

[86] Típico de la carabina *Winchester 76*. Luego de accionar su ruidoso mecanismo, queda lista para disparar, bala en boca.

Un clavo saca a otro clavo.

~

Peor sería mascar la hucha.[87]

~

Al saltar la acequia, gritó la coja: ¡agárrenme una pata que me le moja!

~

Aro, aro, aro, dijo ña Pancha Lecaro, pongo el espinazo al viento y lo demás al reparo.

~

No hay mal que por bien no venga.

~

No mires en menos a la mujer por lo chica, más chica es la pimienta y ¡caray que pica!

~

Fue como el parto de los montes.[88]

~

Mucha luz y pocos truenos, agua trae al menos.

~

Carreta parada no gana flete.

~

Quien busca lo que no ha perdido, lo que tiene ha de perder.

~

Vaca con cría no rompe corral.

---

[87] Bolsa de cuero en que el conquistador español llevaba su charqui.
[88] El parto de los montes como emblema de lo inútil viene del poeta clásico Horacio: *Parirán los montes y nacerá un ridículo ratón.*

Si nadie quiere suegra, yo la quiero, pero a falta de leña, ¡tirarla al fuego!

❧

¡Perdí la bañada![89]

❧

Sale más cara la vaina que el sable.

❧

Esos detalles son pelos de la cola.

❧

Tiene más sed que ratón envenenado.

❧

Está hecho un quique de furioso.[90]

❧

Encima, le aserrucharon el piso.

❧

Puente cortado, ni las ánimas lo cruzan.

❧

Volvió a tropezar con la misma piedra.

❧

Quien sube cual palmera, cae cual coco.

❧

Los hacen comulgar con ruedas de carreta.

❧

Lo que no va en carretela, llega en carreta.

❧

Anda de malas pulgas el capataz.

---

[89] Queja campesina al no obtener nada en viaje a la ciudad.
[90] El *quique*, (*Mustela frenata*), es un animalito sangriento que come gallinas, tórtolas y conejos. Hasta los perros temen su ferocidad.

Atrévase, vaya donde las papas queman.

～

Es bueno el cilantro, pero no para tanto.

～

Más enredado que moño de vieja.

～

Es más puta que una araña.[91]

～

¿Y qué velas llevo yo en este entierro?

～

¡Se han visto muertos cargando adobes!

～

Si te he visto ¡no me acuerdo!

～

De cualquier fardo sale un ratón.

～

El que fue a Melipilla, perdió su silla.[92]

～

Para qué limpiarse la boca antes de comer.

～

Hay que distinguir entre la paja y el heno.

～

Fierro con fierro se afila.

～

Quien a hierro mata, a hierro muere.

---

[91] La araña hembra tienta a varios machos, quienes al inseminarla quedan atrapados en la red hasta morir. La viuda negra (*Ladrotecus mactans*) pone huevos encima, para que sus crías se lo coman vivo.
[92] En España: El que se fue a Sevilla, perdió su silla.

Fuego y baraja se amamantan con paja.

❧

Lo que hizo el herrero, que lo pague el tejedor.

❧

Mete la mano entre las piedras del molino: verás
cómo queda molida.

❧

Pongo las manos al fuego por mi viejo.

❧

Más caliente que camello con fiebre.

❧

Una mano lava la otra y las dos, la cara.

❧

Una mano sola no canta ni llora.

❧

En verdad, en verdad os digo, la breva es más
grande que el higo.

❧

Esa beata tiene la fe del carbonero.

❧

Duerme como un lirón.[93]

❧

Dijo el tiznao al carbonero.

❧

Siempre hay un roto para un descosido.

❧

Matar el chuncho (desafiar la mala suerte).

---

[93] Pequeño roedor de monte, que pasa el invierno durmiendo.

No da puntada sin hilo el muy pillo.

❧

Queda mucho paño por cortar.

❧

En el hueso está la sustancia.

❧

Se quedó sin pan ni pedazo.

❧

A falta de pan, buenas son las tortas.[94]

❧

No sólo de pan vive el hombre.

❧

Trabaja por una papa más en la cazuela.

❧

Al mejor tirador se le va la liebre.

❧

De aquí a la quebrada del ají.

❧

Ni tirado con honda, lo certero del golpe.

❧

Anda más perdido que el teniente Bello.[95]

❧

Palos porque bogas y palos porque no.

❧

Para mí, la cola es pecho y el espinazo cadera.

---

[94] *Si no tienen pan, coman pasteles*, dijo la reina María Antonieta de Francia al pueblo hambreado. La decapitaron en París el año 1793.
[95] Teniente Alejandro Bello, aviador desaparecido en 1914 con avión y todo mientras rendía examen de navegación cerca de Santiago.

Arrasaron con pata y caldo los inspectores.[96]

≈

Con las patas y el buche se metió al boche.

≈

Le viene como palo al cojo.

≈

Antes cae un mentiroso, que un cojo.

≈

La mentira da flores, pero no frutos.

≈

Más mentiroso que político en campaña.

≈

La palabra conmueve, el ejemplo arrastra.

≈

La venganza nunca es buena, mancha el alma y enturbia las penas.

≈

En casa de jabonero, el que no cae, resbala.

≈

Tira la piedra y esconde la mano.

≈

Este mundo es un bonete, quien lo quita, quien lo mete

≈

Pedir justicia es como ladrarle a la luna.

≈

¡Quiere la breva pelada y en la boca, el fresco!

---

[96] Librero comentando visita de Impuestos Internos.

Le dan la mano y toma hasta el codo.

❧

¿Cachai quién viene?[97]

❧

Es cambiar pan por charqui.

❧

Se puso el parche antes de la herida.

❧

Llagas untadas duelen, mas mitigadas.

❧

Puso el dedo en la llaga.

❧

Júntate con los buenos y serás uno de ellos.

❧

La vida tiene muchas vueltas.

❧

La vida es una enfermedad de transmisión sexual.

❧

Vivir es una dolencia que se cura al morir.

❧

Bien hace el niño en llorar al venir a la tierra,
que si viera donde nace, nunca los ojos abriera.

❧

Donde manda capitán, no manda marinero.

❧

El horno no está para bollos.

---

[97] Del latín *captare*, recoger, asimilar. Luego pronunciado capchar.

Se fueron con camas y petacas.

❧

El que la hace la paga.

❧

En casa del ahorcado no hables de la soga.

❧

Me da mala espina esa cuestión.[98]

❧

Donde las dan, las toman.

❧

Todos tenemos los días contados.

❧

Se está cavando su propia tumba.

❧

Con los dientes cavas tu tumba.

❧

No lleves flores a tu propio funeral.

❧

De baños y cenas están las sepulturas llenas.

❧

Nadie sabe para quien trabaja.

❧

El flojo trabaja doble.

❧

Vivamos y bueno que vayamos.

---

[98] La mala espina es del matorral *muérdago*. Además de cortar cual aguja, contiene una toxina que infesta la herida.

Le ayudo a sentir, compadre.[99]

❧

Al bobo le corre la baba.

❧

No hay mal que cien años dure,
ni alma que lo resista, ni médico que lo cure,
ni enfermero que lo asista.

❧

En cien años, todos estaremos a salvo.

❧

Alegría bien cumplida es el bien que se practica en la
vida.

❧

Al espejo me rendí y vi que no hay mejor de mí.

❧

Donde la rana canta, el sapo baila.

❧

Sapo o rana, lo que importa es que brinque.

❧

¿Qué culpa tiene la estaca, si el sapo salta y se
ensarta?

❧

No es conejo, pero las para.

❧

Más sabe el necio en su colmena, que el sabio en casa
ajena.

---

[99] Fórmula de pésame.

El que se apura, pierde.

❧

Más vale tarde que nunca.

❧

Se acata, pero no se cumple.

❧

Donde todos mandan, nadie obedece.

❧

Buscarle el cuesco a la breva.

❧

Y se fue p' al lado de los quesos.

❧

Escoba nueva barre bien.

❧

El día del níspero, van a terminar la pega.

❧

El precio se olvida, la calidad queda.

❧

Lo barato cuesta caro.

❧

Se pisó la huasca, el muy vivaracho.

❧

No dejes para mañana lo que puedes hacer hoy.[100]

❧

Al desaliñado le cae el bocado.

❧

El soñador hace castillos en el aire.

---

[100] También: No hagas hoy lo que puedes dejar para mañana.

Toma el sartén por el mango.

❧

Como quien no quiere la cosa.

❧

No llegues primero, llega antes.

❧

Piano, piano dijo el italiano.[101]

❧

Se lo comió la máquina.

❧

Si no atas el nudo, pierdes el punto.

❧

No revuelvas borras ni bebas conchos.

❧

Está de los más bien, vivito y coleando.

❧

Entre gitanos no se sacan la suerte.

❧

Y entre bomberos no se pisan la manguera.

❧

Más largo que un día sin pan.

❧

Más enredado que paquete de anzuelos.

❧

Más lento que semana sin carne.

❧

Más movido que mano de mudo.

---

[101] Del italiano *Piano, piano, va lontano*. (Lento se llega lejos).

Día nulo, sin risa ni delicia, se va como el humo.

~

En gustos, no hay nada escrito.

~

¡Atención! andan moros en la costa.

~

¡Mala cueva! dijo el conejo y se cambió de hoyo.

~

No está todavía la masa para sopaipillas.

~

Sarna con gusto no pica.

~

Al mentiroso un sarnudo le ayudó.

~

El cliente tiene siempre la razón.

~

Habla la verdad, o pierdes la amistad.

~

Mejor solo que mal acompañado.

~

Amigos somos, pero en la bolsa no nos toquemos.

~

Más vale amigo en plaza que moneda en casa.

~

Comida hecha, amistad deshecha.

~

Muerto el ahijado, acabado el compadrazgo.

~

No hay mejor espejo que un amigo viejo.

Con bondad se abren puertas de fierro y con maldad, ni las de palo.

❧

Cuando se cierra una puerta, se abre una ventana.

❧

Donde una puerta se cierra, otra se abre.[102]

❧

La amistad vende más.

❧

Quien no tiene enemigos, no merece amigos.

❧

Vamos a durar muertos mucho tiempo.

❧

No hay que vender el cuero antes de matar al tigre.

❧

La esperanza es lo último que se pierde.

❧

Antes pasan las malas cuchilladas que las malas palabradas.

❧

¿Por qué el kamikaze usa casco?[103]

❧

No tientes al ladrón dejándole comida al ratón.

❧

Lo cortés no quita lo valiente.

---

[102] Cervantes: *Don Quijote*, Cap. XXI de la primera parte.
[103] Los kamikaze, pilotos suicidas de Japón, en la Segunda Guerra Mundial se tiraban con avión y todo contra buques enemigos.

Dime con quién andas y te diré quien eres.

❧

El que parió escombros, que se los lleve al hombro.

❧

¡Hay que tener hipofofito! dijo el huaso.[104]

❧

De la puerta conozco las coles de mi huerta.

❧

Crece en la huerta lo que quiere el patrón.

❧

Patrón, mujer y gato, tres animales ingratos.

❧

Lo malo de los patrones es no ser uno de ellos.

❧

Es ratón de un solo hoyo.

❧

Ve hoyos, donde otros ven picarones.

❧

A buen hambre, no hay pan duro.

❧

Lo que no sirve, estorba.

❧

Hay apuro para tres cosas: enterrar los muertos,
atender al gringo, y casar las hijas.

❧

Quien de amarillo se viste, en su belleza confía.

---

[104] El hipofofito es el material del cual estaría hecho el cerebro.

El payaso es el que menos cree en bufonadas.

❧

Mantente con honor y no esperes otro favor.

❧

Ah, lástima que le tengo al pelado enamorado, que echa sus perros al monte y otro se come el venado.

❧

Ni sombra sin claridad, ni hombre sin falsedad.

❧

Por latoso le pusieron los cuernos al perezoso.

❧

Mal de muchos, consuelo de tontos.

❧

Desgracia de otros, alegría de locos.

❧

Al loco y al aire, dales calle.

❧

El que siembra vientos cosecha tempestades.

❧

La herida de sable sana; la de palabra, jamás.

❧

Las cuentas del Gran Capitán.[105]

❧

Mis arreos son las armas, mi descanso el pelear.

❧

Detrás de toda crueldad se oculta el miedo.

---

[105] ...*y cien millones por mi paciencia en escuchar que el Rey pedía cuentas al que le ha regalado un reino.* Informe de gastos del Gran Capitán, Gonzalo de Córdova, luego de conquistar Nápoles.

Para vivir sin trabajar, ¡que me hagan concejal!

～

No muere el hombre si su muerte vive.

～

El agricultor es el rey de la naturaleza, pero el esclavo de la economía.

～

La corrupción de los que hay de mejor, es la peor.

～

No basta soplar para tocar la flauta; hay que mover los dedos.

～

Me vienen como anillo al dedo estos dichos.

～

El dicho que han dicho que he dicho yo,
ese dicho no lo he dicho, porque si lo hubiera dicho,
estaría mejor dicho que el dicho que han dicho que
he dicho yo.

～

Ese dicho es más viejo que el hilo negro.

～

No hay cosa más difícil, bien mirado;
que conocer un necio, si es callado.[106]

～

El tonto con buena memoria recuerda las tonteras propias y las ajenas.

---

[106] Alonso de Ercilla y Zúñiga: *La Araucana*. Canto XVII.

No tiene cabeza ni para los piojos.

❧

La constancia es el arma de los feos.

❧

Nada más fácil que educar los hijos del vecino:

❧

Las polillas no se matan a balazos.

❧

Nació cuando las culebras andaban paradas.

❧

Lo que la razón no consigue, el tiempo lo obtiene.[107]

❧

El tiempo lanza arrugas como el guanaco escupos:
huyendo.

❧

A todo mortal, el tiempo lo desgrana.

❧

Matar no es contestar.

❧

El rayo y el tirano son hermanos: tienen por madre
la tempestad.

❧

Más fácil es encontrar una aguja en el pajar.

❧

Amar lo es todo, saber es nada.

---

[107] Ver Lucio Annaeus Séneca: *Agamenón*. Acto II. *Quod ratio non quit,
saepe sanavit mora.*

Sólo sé que nada sé.

~

El pillo se las sabe por libro.

~

Hoy no se fía, mañana sí.

~

No se sabe cuál es más ganso: el que presta un libro
o el que lo devuelve.

~

Las tres B de este libro: bueno, bonito y barato.

~

La vida es más dura que piedra de moler.

~

Llorando sale la lágrima.

~

La mosca sola entra al pico del zorzal.

~

Más vale ser toro por un día, que buey toda la
vida.[108]

~

Nunca del león nació la oveja.

~

Quien muchas tierras ve, muchas cosas sabe.

~

Para ser bella, hay que ver estrellas.

~

El hombre aguanta todo, menos la tentación.

---

[108] Ana María Ilabaca, *Semana de la Chilenidad*, 1997.

Los creí que y los pensé que, son causa de los perjudique.

❧

En lo ajeno reina la desgracia.

❧

Un laso se perdió en casa de los Meneses, son todos muy honrados, pero el laso no aparece.

❧

Mientras vivimos ¡vivamos![109]

❧

Más vale perder un minuto en la vida que la vida en un minuto.

❧

Por el perro se conoce al amo.

❧

Antes que se lo coman los gusanos, que lo disfruten los cristianos.

❧

El chuncho canta, la gente muere, nadie lo cree, pero sucede.

❧

Ave de mar que en tierra busca madriguera, tempestad ve venir y de mala manera.

❧

El que por gusto es buey, hasta la yunta lame.

❧

No hay zorro cojo cuando lo persiguen los perros.

---

[109] Del latín: *Dum vivimus vivamus.*

Entre Paicaví y Peleco no hay poncho que me haga fleco.

❧

La mejor defensa es el ataque.

❧

¿Para qué tanto zapateo si el suelo está parejo?

❧

Que cada palo aguante su vela.

❧

Ley del embudo: lo ancho para mi, lo angosto para ti.

❧

Quien mucho abarca, poco aprieta.

❧

Ni tanto que te quemes, ni tan poco que te hieles.

❧

Lentejas, si quieres las comes si no las dejas.

❧

El agradecimiento es la memoria del corazón.

❧

Y vivieron felices, comieron perdices, y colorín colorado este cuento se ha acabado.

❧ ❧ ❧

· **Otros libros de Pablo Huneeus**:
El problema de empleo y recursos humanos.
Los Burócratas, un nuevo análisis del Estado.
Chile 2010, una utopía posible.
Nuestra Mentalidad Económica.
Lo Comido y lo Bailado.
¿Qué te pasó Pablo?
La Cultura Huachaca, el aporte de la televisión.
Viaje a Francia (Me peineta amarilla...)
Lo Impensable, la amenaza nuclear.
Aristotelia Chilensis.
En Aquel Tiempo, Chile durante Allende.
A Piel Viva.
Amor en Alta Mar
El Intimo Femenino, estudios sobre la mujer.
Manual Práctico de Cocina
Chiloé por hoy no más.
Andanzas por Rusia.
Juan Pedrals, Breve Historia del Petróleo.
Hernando de Magallanes, (traducción)
Edición de *La Araucana*, con biografía de Ercilla.
A Todo Trapo, la navegación a vela.
Jaque al Rey, ensayos de transición.
El Desierto en Flor.
Las Cartas de don Pedro de Valdivia.
Filosofía Clásica. (Quince lecciones).
Patagonia Mágica, el viaje del tata Guillermo.
La Vida en Amarillo.
El Dedo en la Llaga.